sociología
y
política

A LA MEMORIA DE MI HIJA HILDA

Te mataron y no nos dijeron dónde enterraron tu
cuerpo,
pero desde entonces todo el territorio nacional es
tu sepulcro,
o más bien: en cada palmo del territorio nacional
en que
no está tu cuerpo,
tú resucitaste.
¡Creyeron que te mataban con una orden de
fuego!
Creyeron que te enterraban
y lo que hacían era enterrar una semilla.

ERNESTO CARDENAL, "Epitafio"

ECOLOGÍA Y SUBDESARROLLO EN AMÉRICA LATINA

por

SANTIAGO RAÚL OLIVIER

siglo
veintiuno
editores

siglo veintiuno editores, sa de cv
CERRO DEL AGUA 248, DELEGACIÓN COYOACÁN, 04310 MÉXICO, D.F.

siglo veintiuno de españa editores, sa
C/PLAZA 5, MADRID 33, ESPAÑA

siglo veintiuno argentina editores, sa

siglo veintiuno de colombia, ltda
AV. 3a. 17-73 PRIMER PISO, BOGOTÁ, D.E. COLOMBIA

edición al cuidado de carmen valcarce
portada de anhelo hernández
ilustraciones francisco g. merino o.

primera edición, 1981
tercera edición, corregida, 1986
cuarta edición, 1988
© siglo xxi editores, s.a. de c.v.
ISBN 968-23-1054-7

ÍNDICE

PREFACIO A LA TERCERA EDICIÓN

El lustro transcurrido desde la aparición de *Ecología y subdesarrollo en América Latina* no ha hecho más que confirmar las apreciaciones formuladas por el autor a lo largo de sus páginas. Las nuevas experiencias acumuladas por el trabajo realizado en varios países de América Latina han servido para afianzar sus tesis y, aún más, persuadirlo de la necesidad de continuar profundizándolas. Ejemplos incontables podrían enriquecer los casos analizados pero, sin lugar a dudas, se ha hecho para el autor más y más evidente que las crisis ambientales son consecuencia directa de un estilo o modelo de desarrollo que no tiene perspectivas históricas. El desarrollismo imperante en el mundo de hoy, en cualquiera de sus vertientes conocidas, no sólo ha entrado en agudas contradicciones económicas y políticas, nacionales e internacionales, sino que deja cada día más al descubierto su inviabilidad ecológica hipotecando seriamente el futuro de la humanidad.

La biósfera, como todo ecosistema, tiene una capacidad de sostén limitada (por el momento desconocida), cuyos límites están acotados por las reservas de recursos energéticos y las posibilidades de aumentar en cantidad exponencial la producción de alimentos y materias primas renovables. Ese desarrollismo que pregona el crecimiento ilimitado de la economía y que tiene como metas inmediatas alentar el consumismo de artículos superfluos que sólo satisfacen las expectativas de una parte de la sociedad; que alienta carreras armamentistas con un consumo pavoroso de materiales y de energía, y que arrasa con inmensos recursos naturales en busca de éxitos inmediatos, no puede dar solución a la creciente demanda de las necesidades básicas de una población mundial en creciente aumento, donde los carenciados y hambrientos suman cientos de millones de seres.

En estos últimos años se ha creado el espejismo de la eficiencia de las altas tecnologías como panaceas universales, pero resulta cada día más evidente que por sí solas no darán solución a los graves problemas que afronta la humanidad y que, por el contrario, en casos como el de la energía atómica amenazan con provocar catástrofes en cadena de consecuencias incalculables.

[7]

No han sido aún formulados los principios teóricos que deberían apuntalar un modelo de desarrollo alternativo. Sin embargo, son cada día más numerosas las advertencias sobre la inviabilidad ecológica de los sistemas conocidos. Los modelos alternativos no solamente deberán contemplar la satisfacción de las necesidades mínimas de las inmensas masas humanas de Asia, África y América Latina sino que deberán asegurar la estabilidad de la biósfera para que las perspectivas de supervivencia de la humanidad se proyecten en forma ilimitada. Ésta, que aparece como una utopía, será sin duda uno de los retos más trascendentes y apasionantes que tendrán los filósofos y científicos en los albores del siglo XXI.

La Plata, febrero de 1986

AGRADECIMIENTOS

Las ideas expresadas en el presente libro comenzaron a madurar con la creación de la Asociación Argentina de Ecología (1972) y las discusiones que se suscitaron en su seno. En este sentido es un deber recordar al querido discípulo y amigo Miguel Francisco Villarreal.

El autor desea expresar su sincero agradecimiento a los doctores Carlos Galli Olivier (profesor de geología) y Vicente Sánchez (ex director de la Oficina Regional del Programa de las Naciones Unidas para el Medio Ambiente para América Latina) por la lectura de los manuscritos y las múltiples y atinadas sugerencias que le hicieron llegar.

PRIMERA PARTE

ECOLOGÍA ENERGÉTICA

INTRODUCCIÓN

I. LA ECOLOGÍA, CIENCIA DE ACTUALIDAD

La ecología es una ciencia nueva. Más reciente aún es su trascendencia social. Hasta la década de los años sesenta la ecología fue una preocupación exclusiva de naturalistas interesados en las relaciones entre organismos y medio ambiente. Hacia fines de los años sesenta, la ecología ganó la calle y se transformó. Pasó a ser una *ciencia de moda*. Se generó un movimiento de opinión en torno a los peligros que amenazan la estabilidad de la biósfera y con ello la propia existencia del hombre. La ecología, que ya era una ciencia interdisciplinaria nacida de las ciencias naturales, comenzó a nutrirse de las ciencias sociales. Deja los marcos puramente académicos para trascender a todos los ambientes de la sociedad. No pasa un día sin que los medios de difusión hagan referencia a problemas ecológicos. Muy frecuentemente se apela al sensacionalismo y se trastocan los términos. No es raro leer en los periódicos que tal o cual problema afecta a la ecología de un determinado lugar. Sería lo mismo decir que tal o cual enfermedad afecta a las ciencias médicas y no al paciente. En ecología el enfermo es el medio ambiente.

El tema más difundido es el de la contaminación ambiental. Existe una popularización muy grande de las consecuencias perniciosas de la contaminación, lo cual parece muy bien, pero muy poco se dice de los verdaderos orígenes de esa polución. Ciertas formas de contaminación permanecen como tabú y existe la tendencia a trasplantar ciertos problemas propios de los países desarrollados a los subdesarrollados y no a considerar las formas propias de contaminación que éstos tienen.

El rápido crecimiento de la población humana es otro de los temas en boga, especialmente en países que, como México, tienen altas tasas de aumento. La difusión de métodos anticonceptivos y de planificación· familiar son temas corrientes.

Del despilfarro de los recursos naturales se habla menos, a no ser por la alarma generalizada que proviene de la evidencia de un rápido agotamiento de las reservas petroleras.

En enero de 1970, el presidente de los Estados Unidos de América alertó al mundo sobre la creciente contaminación ambiental y el aumento *explosivo* de la población humana. La ecología apareció en los titulares de la prensa internacional. ¿Pesaba en la conciencia del presidente, la tremenda responsabilidad que recaía sobre su país por sus acciones ecocidas? El bombardeo atómico de Hiroshima y Nagasaki, las pruebas nucleares en los atolones de Bikini y en el desierto de Nevada, los bombardeos de saturación y el uso masivo de herbicidas y desfoliantes sobre la península indochina, eran pruebas, no solamente del tremendo poder destructivo de las armas modernas, sino también de la temeridad con que pueden actuar ciertos grupos de la sociedad y del inminente peligro de un holocausto que acabaría con la biósfera.

En 1971, dos mil doscientos científicos de diferentes países se dirigieron al secretario general de la Organización de las Naciones Unidas, advirtiendo sobre la urgente necesidad de tomar medidas en defensa de la biósfera. La ONU respondió convocando a la Conferencia Mundial sobre el Medio Humano (Estocolmo, 1972). Muchos dirigentes políticos de los países del Tercer Mundo comenzaron a tomar conciencia sobre los peligros que significaba para sus propias esperanzas de desarrollo,* el derroche de los recursos naturales, la contaminación ambiental y la carrera armamentista

La responsabilidad mayor pareció recaer sobre la economía de libre empresa, más preocupada por la obtención de grandes beneficios que por la problemática ambientalista. A ella no podía inquietarle el creciente despilfarro de los recursos y el envenenamiento del aire, de las aguas y de los suelos. Parecían surgir contradicciones insalvables entre crecimiento económico y medio ambiente. Algunos países del Tercer Mundo declararon preferir el desarrollismo a la conservación del medio. Se advirtió que, para los países más atrasados, la miseria es la que genera los más graves problemas ambientales.

La Conferencia de Estocolmo creó el Programa de las Naciones Unidas para el Medio Ambiente (PNUMA). Surgió el concepto de ecodesarrollo, es decir, la posibilidad de compatibilizar el desarrollo con la preservación del medio ambiente. Se inició una enérgica campaña de concientización

* Debe entenderse por *desarrollo* el mejoramiento sustancial de las condiciones sociales y materiales de los pueblos en el marco del respeto a sus valores culturales a diferencia del llamado *desarrollismo* que implica crecimiento económico y desculturización.

sobre la necesidad de defender los recursos naturales de la voracidad insaciable de las empresas transnacionales; de mejorar la calidad de vida del hombre y de evitar la contaminación que se ha transformado en un problema global.

Este movimiento fue mundial aunque, por razones políticas, la mayoría de los países socialistas no participaron de la Conferencia de Estocolmo.* En ellos, teóricamente, no deberían existir problemas de deterioro ambiental. Poseen economías planificadas donde podrían haber sido evaluadas las consecuencias ambientales que genera el desarrollo. Las inversiones en la preservación del medio ambiente humano, son de carácter social. Una economía no lucrativa está en condiciones de efectuar esas inversiones. Los principios filosóficos que sustentan al sistema socialista así lo establecieron. El hecho es que también en las naciones socialistas han surgido problemas de contaminación, de voladura de suelos y de sobreexplotación de recursos. La única explicación posible que puede hallarse a este fenómeno son razones de supervivencia, necesidades urgentes de desarrollo y emulación con el sistema capitalista.

Frente a este gran movimiento ambientalista los dirigentes obreros de los países occidentales industrializados aparecieron como temerosos de que un enfrentamiento con la libre empresa contaminante, pudiera poner en peligro sus fuentes de trabajo.

La falta de propuestas políticas válidas en los países capitalistas desarrollados determinaron el surgimiento de movimientos ecologistas espontáneos. Su acción se traduce en denuncias apasionadas contra la contaminación ambiental; manifestaciones masivas opuestas a las instalaciones nucleoeléctricas; proclamas antibélicas y en contra de toda forma de destrucción de la naturaleza. En algunos países como Francia y la RFA, surgieron movimientos políticos *verdes* que tienen como plataforma electoral la defensa del medio ambiente. En los Estados Unidos, la mayoría de ellos no llegan a concretar una ideología coherente, por lo que han derivado en movimientos *hippies* intrascendentes.

La creciente evidencia de los problemas ambientales y su difusión social, alertó a muchos gobiernos, tanto del área capitalista como de la socialista. Exitosas campañas anticon-

_____

* El motivo de que muchos países socialistas no participaran de la Conferencia de Estocolmo se debió al no ingreso de la RDA a la ONU. Sin embargo fueron los países del Báltico, los escandinavos y la RDA los promotores de las campañas ambientalistas. La Conferencia Europea preparatoria de la de Estocolmo tuvo lugar en Praga.

taminantes se emprendieron en Estados Unidos, Gran Bretaña, RFA, URSS y otros países desarrollados. Sin embargo, los factores de desequilibrio persisten y en ciertos casos se agudizan. La situación se hace especialmente grave en los países subdesarrollados donde no se ha encontrado una respuesta coherente para frenar el uso destructivo de los recursos naturales (desforestación, erosión, extinción de la fauna, etc.), a la polución en todas sus formas y al aumento descontrolado de la población humana. Tanto es así que los países no alineados han advertido en repetidas ocasiones sobre la gravedad de la situación al iniciarse la década de los años ochenta.

En diez años la ecología se ha transformado y enriquecido. Ha adquirido una nueva dimensión contribuyendo a ello las ciencias sociales, la tecnología, las ciencias exactas y las naturales. La ecología es hoy una ciencia holística. Es también, en cierto modo, una ciencia de denuncia contra las injusticias sociales, la explotación de los países pobres y su dependencia económica y política. La advertencia lanzada por el presidente de los Estados Unidos hace 10 años se ha transformado en un bumerán.

Se ha llegado a una etapa en que todo el mundo cree tener derecho a opinar sobre ecología: el biólogo y el arquitecto, los ingenieros y los médicos sanitaristas, el político y el agrónomo, el economista y el químico, el sociólogo y el matemático, el psicólogo y el físico, el antropólogo y el veterinario... No siempre se lo hace con fundamento y cierto periodismo continúa haciendo sensacionalismo y confundiendo los términos de la problemática ecológica.

El tomar conciencia sobre la cuestión ecológica en los países subdesarrollados, significa tomar conciencia de su real situación socioeconómica, cultural y política. Significa tomar conciencia de que el subdesarrollo es un producto del desarrollo; que el despilfarro de sus recursos naturales ha sido y es obra de un estilo de desarrollo extendido en el mundo por el colonialismo, el neocolonialismo y el imperialismo. Que la degradación de sus recursos humanos, es consecuencia del racismo y de la sobrexplotación. Significa tomar conciencia de la necesidad de frenar la carrera armamentista e imponer el desarme atómico, destinando esos ingentes recursos al desarrollo integral de los países pobres. Significa tomar conciencia de la necesidad de erradicar el analfabetismo, la ignorancia y la miseria. En fin, significa tomar conciencia sobre la necesidad que tienen los países de América Latina y el Caribe de vislumbrar su futuro en el marco de un *nuevo orden económico internacional*. La ecología ha adquirido carta de ciudadanía mundial.

Pero, ¿qué es en realidad la ecología? ¿Cuáles son sus orígenes? ¿Cuáles son sus perspectivas y su estado actual?

II. LA ECOLOGÍA ENTRE LAS CIENCIAS NATURALES Y LAS CIENCIAS SOCIALES

La ecología comenzó a definirse como ciencia cuando los filósofos y científicos del siglo pasado ubicaron al hombre como un integrante más de la biósfera pues, así como no es posible concebir a los animales y vegetales sin su ambiente, tampoco se puede considerar al hombre sin su medio ambiente humano.

"La gran revolución biológica, que puede resumirse casi en el nombre de Darwin ha colocado al hombre en su verdadera posición, la de último producto de la energía solar obrando sobre los elementos químicos particulares de un planeta en movimiento."[1] ¿Puede pedirse una más correcta ubicación ecológica del hombre? Y fue otro apasionado defensor de las teorías evolucionistas, Ernesto H. Haeckel, quien introdujo en la terminología científica el vocablo *ecología* para designar la interrelación existente entre los organismos y su medio ambiente.

Las relaciones del hombre con la naturaleza se han ido modificando a lo largo de su evolución. La vida del hombre de Neanderthal o de Cro-Magnon estuvo mucho más expuesta a los efectos de los factores ambientales que la del hombre actual. Se puede decir que existía una mayor relación *ecológica* entre el hombre y la naturaleza. Durante milenios fue. recibiendo el impacto de los climas y de sus vinculaciones con los demás seres. Su capacidad de razonamiento le permitió ir conformando su propio hábitat; fue modificando sus modalidades de vida y alterando paulatinamente a la naturaleza. En algunos casos lo hizo con racionalidad, en muchísimos otros ha propiciado su ruina.

Para ubicar la ecología en el contexto de las ciencias biológicas se debe partir de los niveles de organización de la materia viva (figura 1). Las poblaciones, las comunidades y los ecosistemas ocupan los niveles de organización más avanzados. Es atributo de la ecología estudiar esos niveles de organización. Se la puede definir entonces como *la biología de*

[1] M. Prenant, 1940, *Darwin y el darwinismo*, México, Grijalbo, 1969.

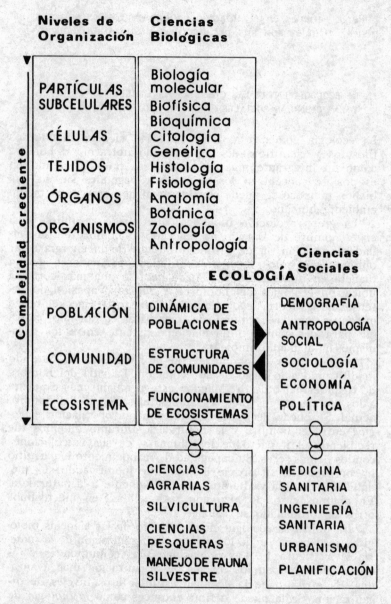

FIGURA 1
Ubicación de la ecología en el contexto de las ciencias biológi-cas y las ciencias sociales, a partir de los niveles de organización de la materia viva.

los ecosistemas. O dicho de otro modo, como el estudio de la estructura y el funcionamiento de la naturaleza, o, lo que es lo mismo, el estudio de la dinámica y evolución de las comunidades naturales. Pueden por lo tanto diferenciarse en la ecología tres ramas básicas: *dinámica de poblaciones, estructura de comunidades* y *funcionamiento de ecosistemas.*

La primera definición de *ecosistema* correspondió al botánico inglés Tansley [2] quien lo consideró como "un sistema total que incluye no sólo los complejos orgánicos sino también al complejo total de factores que constituyen lo que llamamos medio ambiente". En 1944 el académico y botánico soviético Vladímir N. Sukachov, utilizó el término *biogeocenosis* para definir "el complejo de interacciones naturales que existen entre las comunidades vegetales (fitocenosis), el mundo animal que las habita y la correspondiente parte de la superficie terrestre con las propiedades particulares de la atmósfera (microclima), la constitución geológica, los suelos y el régimen hidrológico.[3]

Si se observa la imagen de la Tierra desplazándose como una nave espacial en el cosmos, y se recuerda la protección y aislamiento que le brindan las distintas capas atmosféricas, se tendrá definido un gran ecosistema.

La vida es posible en la Tierra por una considerable cantidad de agua líquida, por interfases entre los estados líquido, sólido y gaseoso, y por la energía solar. Es decir que nuestro planeta es un inmenso ecosistema llamado *biósfera*, término utilizado por el geoquímico ruso Vladímir I. Vernadsky para englobar las zonas que han sido colonizadas por los seres vivos: "partes adyacentes de la corteza terrestre, el agua de los ríos, los mares y los océanos (hidrósfera) y la tropósfera".[4]

La biósfera no es uniforme ni mucho menos. La distribución de la vida depende de las condiciones reinantes en cada situación determinada: regiones tropicales húmedas, desiertos, altas montañas, fosas oceánicas, casquetes polares, aguas continentales polihalinas, etc. Es así como la biósfera puede dividirse en ecosistemas principales y éstos en ecosistemas subordinados.

[2] A. G. Tansley, "The use and abuse of vegetational concepts and terms", *Ecology,* 16, Londres, 1935.
[3] Editorial Estatal Científica Enciclopedia Soviética, *Diccionario enciclopédico,* Moscú (en ruso), 1963.
[4] *Ibid.*

Se ha hecho referencia a que los ecosistemas están integrados por *comunidades* (también reciben el nombre de *biocenosis*). Éstas se definen como la suma de las poblaciones animales y vegetales que viven en un área definida llamada *biotopo*. Esas poblaciones se hallan íntimamente vinculadas entre sí por razones de competencia o de complementación (epibiosis, depredación, comensalismo, simbiosis, parasitismo).[5] Su dinámica depende de los cambios que se operen en cada una de las poblaciones que la integran.

Se ha dicho que las comunidades son una superposición de *poblaciones*. En ecología éstas se definen como un conjunto de organismos de una misma especie que ocupan un área definida, por lo que se dan posibilidades de interfecundación entre los individuos. La población posee una dinámica propia que depende de los ciclos biológicos de la especie (fecundidad, natalidad, mortalidad, crecimiento).

Para un análisis correcto de la ubicación del hombre en la biósfera se hace necesario diferenciar entre lo que es el medio ambiente que rodea a las poblaciones naturales y el medio ambiente humano. Es que a los factores de orden físico que envuelven a las primeras se le suman, en el caso del hombre, factores de orden económico y cultural: "mientras los animales tienen sólo un *ambiente* los hombres poseen un *ambiente-artefacto*"[6] que es de naturaleza instrumental. Ese ambiente ha sido conformado por la cultura, que al decir de Maldonado es "un tejido de utensilios-artefactos y de símbolos-artefactos, recíprocamente dependientes y condicionantes".[7] Otro tanto ha querido significar Maurice Strong[8] cuando afirmó que "el medio ambiente humano comprende todos los aspectos de la *actividad* del hombre que, modificando el

---

[5] Son todas formas de íntimas relaciones entre organismos de diferentes especies. *Epibiosis*, es cuando un organismo utiliza a otro como sostén, por ej. los claveles del aire son epibiónticos. *Depredación*, cuando un animal caza o mata a otro para alimentarse, los carnívoros son depredadores. *Comensalismo*, cuando un animal come los restos que otro deja, por ej. los tiburones tienen peces comensales que los acompañan. *Simbiosis*, donde la relación es tan íntima que es imposible la existencia de un organismo sin el otro, los corales viven en simbiosis con algas microscópicas. *Parasitismo*, cuando un organismo se nutre de los tejidos de otro, por ej. los parásitos del tubo digestivo del hombre.

[6] T. Maldonado, *Ambiente humano e ideología*, Buenos Aires, Nueva Visión, 1972.

[7] *Ibid.*

[8] M. Strong, *Documentos del director general del Programa de las Naciones Unidas para el Medio Ambiente*, Nairobi, 1975.

sistema ecológico natural del que forma parte, afecta a su vida y a su bienestar".

Los ambientes humanos deben ser considerados como ecosistemas subordinados a la biósfera. Se trata de ecosistemas que afectan la estabilidad, y aun la misma existencia, de los ecosistemas vecinos, debido a que provocan cambios sustanciales, en ciertos casos irreversibles, en el medio ambiente (generación de contaminantes, cambios microclimáticos, etc.). Este accionar no es atributo de los otros subsistemas ecológicos.

Es así como la ecología se ha transformado en una ciencia de notables implicancias económicas, sociales y políticas. Ha dejado de ser una actividad exclusiva del biólogo naturalista. Más bien le otorga a éste una nueva dimensión en sus trabajos de investigación al acercarlo a la dinámica propia de la sociedad. La ecología moderna "no es ecología a menos que conciba medios para percibir toda la complejidad de un espacio ocupado (temporal o permanentemente) por organismos vivos (incluyendo al hombre); a menos que pueda proporcionar una concepción integral del conjunto dinámico; y a menos que pueda situar las partes en su verdadera relación con cada una de las demás y con el total".[9]

No es aconsejable, por lo tanto, amalgamar la *ecología de los ecosistemas naturales* con la *ecología de los ecosistemas humanos*; menos aún la ecología de las poblaciones naturales con la ecología de las poblaciones humanas, si bien es cierto que existen algunos patrones de funcionamiento que les son comunes. Las leyes que rigen la dinámica de las comunidades naturales no son las mismas que las que rigen a las comunidades humanas. Mientras que las primeras son leyes naturales, las segundas son leyes socioeconómicas creadas por los propios hombres. Es esta línea de pensamiento la que ha llevado a Maldonado a considerar que "la construcción del medio ambiente humano es inseparable de nuestra autorrealización como hombres".[10]

Josué de Castro[11] ha sintetizado este pensamiento al decir que "un análisis correcto del medio debe abarcar el impacto total del hombre y de su cultura sobre los restantes elementos del contorno, así como el impacto de los factores ambientales sobre la vida del grupo humano considerado como totalidad. Desde este punto de vista el medio abarca aspectos

[9] P. Dansereau, *Dimensiones de la calidad ambiental*, México, CEPAL-CIFCA-CECADE, 1977.

[10] T. Maldonado, *op. cit.*, 1972.

[11] J. de Castro, "El subdesarrollo, primera causa de contaminación", *El Correo de la UNESCO*, París, 1972.

biológicos, fisiológicos, económicos y culturales, todos ellos combinados en la misma trama de una dinámica ecológica en transformación permanente".

III. EL ECOSISTEMA COMO UNIDAD FUNCIONAL

Se ha dicho que la biósfera es un gran ecosistema en el que se pueden individualizar muchísimos ecosistemas subordinados. El ejemplo más corriente entre éstos, debido a la facilidad con que pueden establecerse sus límites, es el lago pero otro tanto ocurre con los ecosistemas isleños. En el mar Caribe existen pequeñas islas que pueden tomarse como ejemplos muy ilustrativos. Entre ellas se encuentra Providencia (Colombia) cuya superficie es de apenas 17 km^2 y donde viven comunidades bien definidas, poblaciones de animales y vegetales que le son propias. El marco físico está condicionado por el mar adyacente, un suelo de origen tectónico y un régimen hídrico caracterizado por una época de sequías y otra de abundantes lluvias. Es éste un ecosistema subordinado al gran ecosistema del mar Caribe.

Entre las comunidades naturales de la isla pueden identificarse, entre otras, las siguientes:

1. Matorrales y bosques bajos con predominio de la leguminosa *Acacia costarricensis* y la asociación de animales y vegetales acompañantes.

2. Bosques litorales de mangle rojo, *Rizophora mangle*, que ocupan áreas pantanosas, y todos los animales y vegetales que encuentran allí su hábitat propicio.

3. Vegetación litoral de suelos calcáreos, con predominio de la leguminosa *Connavalia maritima* junto a la flora y fauna que viven en el mismo biotopo.

Del mismo modo pueden identificarse poblaciones naturales de animales y vegetales como son:

a] El bosque de acacias de la especie ya citada (*A. costarricensis*).

b] Las garcitas blancas que viven en la isla pertenecientes a la subespecie *Butorides virescens maculatus*.

c] Todas las iguanas endémicas pertenecientes a la subespecie *Iguana iguana rinolopha*.

Pero, en la isla Providencia también vive una población humana que tiene sus propias particularidades. Al incorporar al hombre como un integrante más del ecosistema, un análisis holístico deberá contemplar no solamente la estructura y funcionamiento de las comunidades naturales y la dinámica de las poblaciones, sino también la relación existente con los habitantes de la isla. No deberán desconocerse por ejemplo los impactos que la desforestación y la consecuente erosión, tienen sobre los arrecifes de coral; o los perjuicios que causa la extinción de especies autóctonas y su remplazo por especies exóticas; o la contaminación de las aguas superficiales por desechos y su influencia sobre la salud de la población. Al propio tiempo será de vital importancia estudiar los orígenes históricos de la población, sus rasgos culturales y su problemática social en relación con el país del que depende, Colombia, y con el que tiene relativamente pocos vínculos culturales. El núcleo original de la actual población de 3 000 habitantes fue un pequeño grupo de esclavos abandonados a su propia suerte por un barco pirata inglés a fines del siglo XVIII. Su lenguaje original se transformó y hoy habla, pero no escribe, el patuá, un dialecto de raíz inglesa. En su organización social perduran rasgos comunitarios como, por ejemplo la tenencia de la tierra: existen 1 872 predios en su mayoría de menos de 1 ha y los propietarios son 1 899. La arquitectura posee reminiscencias europeas y tres cultos cristianos son los más profesados. Sus relaciones de dependencia con la isla de San Andrés (cabecera del archipiélago) y su mayor identificación cultural con Jamaica crean algunos conflictos. Los métodos de explotación de los recursos naturales siguen pautas propias, en especial en el área de la pesca, principal fuente de proteínas, donde han desarrollado sus propios métodos de navegación y pesca arrecifal.

Resulta evidente la importancia que adquieren las ciencias sociales en un análisis como el esquematizado.

IV. SÍNTESIS HISTÓRICA DE LA ECOLOGÍA

Definida y enmarcada la ecología entre las ciencias naturales y las ciencias sociales, resulta útil recordar algunos de los jalones más importantes que ha ido conformando el pensamiento ecológico actual. Los datos que se resumen a continuación no pretenden, de ningún modo, ser exhaustivos.

1798. Se publica *An essay on the principle of population as it affects the future improvement of society with remarks on the speculations of Mr. Godwin, Mr. Condorcet and other writers*, del sacerdote y economista inglés Thomas R.

Malthus (1766-1834), donde se aventuran las primeras teorías sobre demografía.

1805. Aparición de la obra *Essai sur la geographie des plantes*,
del naturalista y geógrafo alemán Alejandro de Humboldt
(1769-1859) quien sienta las bases de la biogeografía ecológica.

1809. Publicación de la *Filosophie zoologique* de Juan Bautista
Lamarck (1744-1829) naturalista francés padre del trans-
formismo, en la cual expone sus hipótesis sobre las adaptaciones animales al medio ambiente.

1842. Se publica *The structure and distribution of coral reefs*,
estudio eminentemente ecológico del naturalista inglés Charles Darwin (1809-1882) que juntamente con sus observaciones sobre lombrices de tierra y orquídeas, adelanta muchos
conceptos que nutrirán las ciencias ecológicas.

1859. Aparición de la obra cumbre del mismo Charles Darwin, *El
origen de las especies* en la que se sientan las bases científicas de la evolución y de las modernas ciencias naturales.

1867. Se publica *El capital* de Karl Marx (1818-1883), filósofo,
sociólogo y economista alemán, obra básica del pensamiento filosófico que sustenta el socialismo científico y en la
que se encuentran referencias a la esencia de la ecología
social.

1869. El biólogo alemán Ernesto Haeckel (1834-1919) introduce
en la terminología científica el vocablo *Oekologie* (del gr.
oikos = casa) que utiliza para designar el estudio de las
relaciones de un organismo con su medio ambiente.

1877. El biólogo alemán Karl A. Möbius (1825-1908) define a la
biocenosis (= comunidad) como a un conjunto de organismos que dispone de lo necesario para su crecimiento y
continuidad, tomando como ejemplo un banco de ostras.

1878. Se publica *Anti-Dühring* una de las obras más importantes
del filósofo y economista alemán Friedrich Engels (1820-
1895) en la que se analizan problemas teóricos de las ciencias naturales, desde el punto de vista del materialismo
dialéctico, en los que se sustentan los principios dinámicos
y evolutivos de la naturaleza. Su *Dialéctica de la naturaleza*
escrita entre los años 1875-1882, en la que se reafirman
estos principios, quedó inconclusa y fue publicada por primera vez en 1925.

1880. El biólogo danés Victor Hensen (1835-1924) inicia las investigaciones sobre el plancton marino, como forma de establecer un balance en la producción de los mares. En ese mismo año, Anton Dohrn (1840-1909), funda la Stazione Zoologica de Nápoles.

1892. Se publica la obra del naturalista inglés H. W. Bates (1825-1892) *The naturalist on the river Amazons,* en la que se fundamentan los principios de la biogeografía evolutiva y conceptos tales como *mimetismo.*

1892. Se inicia la publicación de *Le Léman: Monographie limnologique* que concluirá en 1904, del limnólogo suizo François A. Forel (1841-1912) que resulta ser la primera síntesis ecológica de un cuerpo de agua dulce.

1912. Como resultado de las grandes campañas oceanográficas del buque de investigaciones inglés "Challenger", el oceanógrafo John Murray (1841-1914) publica una de las obras clásicas de la oceanología: *The depths of the ocean.*

1926. Vito Volterra (1860-1940), matemático italiano, funda la base bioestadística necesaria para la interpretación de la dinámica de las poblaciones.

1926. Vladímir I. Vernadsky (1863-1945), fundador de la geoquímica rusa, pronuncia una serie de conferencias en las cuales utiliza el término *biósfera* para designar la superficie de la Tierra que ha sido colonizada por la vida.

1928. Se publica la primera edición de *Pflanzensoziologie (fitosociología)* del botánico y ecólogo suizo Josias Braun-Blanquet, nacido en 1884. Se trata de un texto teórico de gran trascendencia en el desarrollo de la geobotánica. Su tercera edición fue publicada en 1964. .

1935. Se publica la obra del ecólogo inglés Charles S. Elton (n. 1900), *Animal ecology,* obra que resulta clásica en los conocimientos ecológicos.

1935. El botánico inglés Arthur G. Tansley (1871-1955), introduce el término *ecosistema* en la terminología científica para definir las relaciones dinámicas entre las comunidades y su ambiente.

1942. Aparece la obra *The ocean* del oceanógrafo y expedicionario noruego Herald U. Sverdrup (1888-1957) y colaboradores, obra clásica en el estudio ecológico de los océanos. Sverdrup era entonces director de la Scripps Institution of Oceanography (La Jolla, Calif., Estados Unidos).

1944. El fitosociólogo ruso Vladímir N. Sukachov (n. 1880) utiliza el término *biogeocenosis* para designar a las fitocenosis junto al mundo animal que las habita y el medio físico que las rodea.

1959. Eugene P. Odum (n. 1919), ecólogo norteamericano publica la primera edición de *Fundamentals of ecology*, obra que en sucesivas ediciones desarrolla y fundamenta los principios de la ecología energética.

1974. Ramón Margalef (n. 1919), limnólogo y oceanólogo español da a conocer su tratado de *Ecología*, la obra más importante que se haya realizado en idioma castellano y que resume los principios básicos de la ecología moderna a la cual él mismo ha contribuido con importantes aportes teóricos. Como antecedentes del mencionado tratado, se destacan del mismo autor *Limnosociología* (1948) y *Comunidades naturales* (1962).

V. EL HOMBRE, LA BIÓSFERA Y EL DESARROLLO

Existen múltiples manifestaciones de una relación armoniosa entre el hombre y su entorno. En el siglo xv la ciudad camboyana de Angkor dependía de un sistema ecológico en equilibrio que le permitía usar racionalmente sus recursos hídricos y obtener cosechas de arroz que alcanzaban para alimentar a su población. Ciertas tribus de pastores nómades del Sahel, que viven en zonas extremadamente áridas, han conseguido equilibrar la crianza de ganado con la producción estacional de pastos y su propio consumo. Los incas desarrollaron en Perú los cultivos en terrazas con lo cual evitaban la erosión y obtenían mejores cosechas. Los pueblos del altiplano mexicano elaboraron durante centurias métodos de utilización racional del agua y de los cultivos que hicieron posible el florecimiento de Tenochtitlan.

Por el contrario es dramática la historia del sobrepastoreo en el norte de África y las penínsulas del sur europeo, donde extensas regiones han sido totalmente desertificadas. Los valles de los ríos Éufrates y Tigris han sufrido fuerte erosión y salinización de suelos por deficiencias en el laboreo y en el uso de los canales de irrigación. Enormes extensiones en las planicies centrales de los Estados Unidos y de la URSS sufrieron tremenda erosión.

Las relaciones del llamado *hombre civilizado*, con el medio ambiente, han sido en gran parte una historia de destrucción y de explotación implacable de los recursos naturales para satisfacer las necesidades de un modelo de crecimiento anárquico y descontrolado. En los últimos siglos, y especialmente en los últimos cincuenta años, han desaparecido numerosas especies animales y muchas vegetales han quedado reducidas a su mínima expresión. Las pérdidas son irreparables desde el punto de vista científico y económico, pero lo son mucho más desde la perspectiva ecológica, pues han desaparecido sin que se conozca el papel que desempeñaban en los ecosistemas naturales de los que formaban parte.

La realidad diaria muestra que los recursos naturales de la mayor parte de los países del Tercer Mundo siguen depredándose. Los progresos alcanzados en el conocimiento de esos recursos, el mejoramiento de técnicas agrícolas, forestales y pesqueras, no siempre son posibles de aplicar en los países subdesarrollados, donde falta la infraestructura básica de educación. A ello deben agregarse las estructuras económicas atrasadas que impiden la movilización social, la presencia de grandes masas de población marginada e intereses transnacionales que depredan los recursos naturales.

Las estrategias que deberían poner en práctica los países subdesarrollados para defender sus recursos naturales, deberían fundarse en las leyes que rigen la dinámica y la evolución de las comunidades naturales. Es decir, que deberían fundarse en la teoría y en la práctica ecológica. Se trata en última instancia de obtener la transformación y manejo de los ecosistemas naturales, manteniendo su equilibrio dinámico, en beneficio de la sociedad.

Por razones estéticas, culturales, históricas o científicas podrán conservarse algunas regiones con sus características originales (parques y reservas naturales, reservas de la biósfera) pero resulta una utopía pensar que la naturaleza pueda permanecer sin ser alterada. La ecología debe brindar los conocimientos y la información necesaria para *la explotación sin expoliación* de los recursos naturales renovables.

El equilibrio natural que existe en la naturaleza depende de la compatibilidad entre desarrollo y explotación. La limitada perspectiva de los métodos corrientes de planificación son causa primordial de los fracasos que sobre el control del medio ambiente se pueden encontrar en todas partes del mundo. Esa política debe revertirse, especialmente en los países en vías de desarrollo, donde su prosperidad depende de la dinámica que se imprima al uso de los recursos naturales.

Al no existir conceptos globales sobre las ciencias del medio ambiente, las investigaciones continúan en trabajos individuales dentro de las diversas especialidades (biología, an-

tropología, agronomía, ingeniería, medicina) y la síntesis, que
debe preceder a toda investigación, se encuentra más allá
de las preocupaciones individuales. Los trabajos ecológicos
deben ser interdisciplinarios y con el ecosistema como única
unidad básica en la cual se pueden integrar los conocimientos.[12]

El aprovechamiento integral de la naturaleza y el mantenimiento de su equilibrio dinámico obliga a una nueva re-
definición de la idea de desarrollo, que ha venido preocu-
pando desde hace tiempo a los foros de las Naciones Unidas.
A raíz de la preparación de su Conferencia sobre Ciencia
y Tecnología que se realizó en Viena en 1979, se distribuyó
un documento que manifiesta esta preocupación. Entre otros
conceptos expresa que debe aspirarse a un desarrollo integrado y global no puramente económico, acorde con los objetivos nacionales libremente escogidos por el propio país y
no impuesto por minorías ligadas a los intereses multinacionales. Debería, al propio tiempo, respetarse la integridad
natural y cultural del país, para lo cual el desarrollo debe
ser planificado y tendiente al establecimiento de un orden
social justo. Deberían adoptarse, asimismo, nuevas vías y
alternativas y no limitarse al trasplante de modelos de países desarrollados que han sido superados o que no se adaptan a la idiosincrasia nacional.

Estas ideas tienen mucho en común con las propuestas de
ecodesarrollo [13] que han sido expuestas en reiteradas oportunidades por el PNUMA. Para el caso ejemplificado de la isla
Providencia, un programa de ecodesarrollo integrado debería
tener en cuenta:

1. El aprovechamiento integral de los recursos naturales
y humanos que permitiría satisfacer las necesidades de su población en materia de alimentación, vivienda, salud y educación.

2. Que al ser el recurso humano prioritario, el desarrollo

[12] P. Dansereau, *Dimensiones de la calidad ambiental*, Seminario
sobre el Hábitat Humano, CEPAL-CIFCA-CECADE, SHH 77.5, México,
1977.
[13] *Ecodesarrollo*, término utilizado por el ex director ejecutivo
del Programa de las Naciones Unidas para el Medio Ambiente
en 1973, para significar un desarrollo sin destrucción de los ecosistemas. Primera Reunión del Consejo de Administración. Gi-
nebra.
Para una síntesis conceptual sobre el tema véase J. Hurtubia,
V. Sánchez, H. Sejenovich y F. Szekely, "Hacia una conceptuali-
zación del ecodesarrollo", Programa de las Naciones Unidas para
el Medio Ambiente, Oficina Regional para América Latina, México.

debería tender a abrir nuevas posibilidades de trabajo y seguridad social. La construcción de un medio humano adecuado es inseparable de la autorrealización de los habitantes de Providencia.

3. Que el desarrollo de la isla debería seguir las pautas históricas y culturales propias de sus habitantes, por lo que cabría una revalorización de su patrimonio técnico, artesanal, arquitectónico, musical, lingüístico, etcétera.

4. Que el aprovechamiento de sus recursos naturales debería ir acompañado de evaluaciones precisas que aseguren la perpetuidad de los renovables y el manejo sin despilfarro de los no renovables.

5. Que se debería tratar de minimizar el impacto negativo que toda actividad humana genera sobre el medio ambiente, tratando de reciclar aquellos materiales que puedan incrementar o racionalizar la producción.

6. Que la promoción y mejoramiento de la educación técnica debería ser uno de los esfuerzos más grandes a realizar, especialmente en el campo de las artes y oficios ligados a la agricultura, ganadería, silvicultura, pesca y preparación de personal capacitado en el control del medio ambiente.[14]

Como se podrá comprender la elaboración de un plan de ecodesarrollo, fundado en esas bases, deberá contar para su aplicación con una decisión política local y central.

[14] S. R. Olivier, *El medio ambiente en la isla Providencia (Colombia)*, Informe de la Oficina Regional del PNUMA para América Latina, México, 1978.

CAPÍTULO 1

ESTRUCTURA Y FUNCIONAMIENTO DEL ECOSISTEMA

Antes de considerar los problemas que afectan la estabilidad de la biósfera, hemos considerado oportuno hacer una síntesis de los fundamentos teóricos de la ecología. Comprender cómo se estructuran y funcionan los ecosistemas resulta imprescindible para comprender las preocupaciones que hoy existen en cuanto a que tanto la contaminación ambiental como la sobreexplotación de los recursos naturales y el aumento de la población humana ponen en peligro a aquellas estructuras y a los mecanismos que hacen posible su normal y eficiente funcionamiento. La biósfera es un sistema y como tal se hace necesario respetar las leyes de su funcionamiento. Rotas las posibilidades de interacción entre sus componentes no será posible sostener su estabilidad y por consiguiente la propia existencia del hombre como eje fundamental de todo ese sistema.

La vida misma es un producto de la energía radiante y la *energía*, como es sabido, es la capacidad de generar trabajo. La energía que el hombre utiliza (con excepción de las energías nuclear y geotérmica), proviene de una única fuente: el Sol. La energía de los combustibles fósiles no es más que energía solar acumulada en épocas geológicas pasadas.

La radiación solar es energía en forma de ondas electromagnéticas generadas en las transformaciones nucleares del hidrógeno que pasa a ser helio. Al llegar a nuestro planeta esas ondas se transforman en energía mecánica, química o calórica de gran importancia para los seres vivos.

La *energía cinética*, o energía mecánica libre, se mide en razón de la cantidad de trabajo necesario para llevar un determinado cuerpo a su estado de reposo. La *energía potencial* es energía mecánica acumulada que puede ser utilizada para realizar aquel trabajo, es decir, la energía que pone en funcionamiento o en movimiento, a un determinado cuerpo. En este caso la energía potencial se ha liberado convirtiéndose en energía cinética.

La vida es, en sí misma, una forma de trabajo generado por energía almacenada en los alimentos *(energía química)*. Esa acumulación se produce a través del proceso fotosinté-

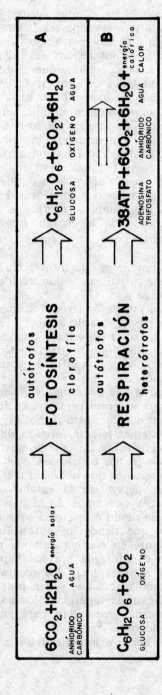

FIGURA 2
Fijación y transformación de la energía solar.
A. Primera fase: fijación de la energía solar en forma de energía química (fotosíntesis).
B. Segunda fase: transformación de la energía química en energía cinética y calórica.
Tanto la glucosa como la adenosina trifosfato son compuestos orgánicos de alta energía química.

tico que realizan las plantas verdes. Los alimentos son oxidados durante una segunda fase, el proceso respiratorio, que libera energía que genera trabajo. Una parte de esta energía queda retenida en los tejidos del organismo y otra se libera en forma de *energía calórica* que se difunde en el espacio. No existen posibilidades de reciclar la energía, por lo que, una vez degradada, sale inexorablemente del sistema (figura 2).

La actividad fisiológica de los seres vivos presupone la transformación de la energía acumulada en los alimentos (energía potencial), en energía cinética, una parte de la cual se libera en forma de calor. La transformación de la energía radiante en energía química por los vegetales (fotosíntesis), es igual a la energía acumulada en los tejidos más la energía utilizada en el proceso respiratorio. Por su parte, en los animales la energía química ingerida es igual a la energía química asimilada, más la energía química excretada, más la energía calórica que se desprende en el proceso respiratorio.

Todos los fenómenos de transformación energética que ocurren en los ecosistemas están regidos por las leyes de la termodinámica.

La primera ley de la termodinámica o ley de la conservación de la energía, establece que "la energía ni se crea ni se destruye, sólo se transforma". Cuando en un ecosistema se produce una disminución de la energía potencial, esa disminución es igual a la cantidad de trabajo realizado más el calor liberado.

La segunda ley de la termodinámica establece que siempre que la energía se transforma, pasa de una forma más organizada y concentrada a otra menos organizada y más dispersa. En los ecosistemas la transferencia de energía presupone por lo tanto una pérdida de energía que deja de ser útil para producir trabajo. La conclusión ecológica que se desprende de lo anterior indica que del buen uso que se haga de la energía radiante, dependerá la estabilidad de los ecosistemas subordinados, y por ende, de la biósfera.

La eficiencia de un ecosistema se puede estimar conociendo la capacidad que tienen los autótrofos para transformar la energía radiante en energía química y la eficiencia con que esta energía es utilizada por los heterótrofos.

Cuando se sobreexplotan los recursos vegetales de un determinado bioma (bosque, selva, pastizal), éste pierde capacidad para acumular energía y los animales que de ellos se alimentan pierden capacidad para generar trabajo. El ecosistema se degrada.

Cuando el hombre interviene un ecosistema en su propio

beneficio, lo que hace es canalizar y concentrar la energía en uno de los productores primarios o consumidores, ya se trate de cereales, oleaginosas o ganado. Con ello extrae del ecosistema explotado la casi totalidad de la energía química acumulada.

La utilización de abonos, pesticidas, riego artificial, etc., son otras tantas formas de suplementar energéticamente a los sistemas ecológicos cultivados, con el fin de aumentar su capacidad de almacenamiento de energía.

Existen dos tipos básicos de sistemas: los sistemas abiertos y los cibernéticos.

Los *sistemas abiertos* dependen del ambiente exterior y tienen una serie de entradas y salidas permanentes; los *sistemas cibernéticos*, en cambio, tienen mecanismos por los cuales se produce una retroalimentación del sistema que permite su autorregulación.

Todos los sistemas biológicos, incluyendo los ecológicos, son sistemas abiertos. La biósfera recibe un flujo de energía permanente que ingresa al sistema como energía radiante y sale de él como energía calórica. Una planta requiere para su crecimiento de energía solar, agua, nutrientes y anhídrido carbónico, que recibe del medio ambiente. En sus tejidos se producen fenómenos bioquímicos como resultado de los cuales una parte de la energía degradada se difunde en forma de calor y otra queda retenida como energía química. Es decir, que existe un flujo permanente de energía que pasa a través del sistema.

Al propio tiempo, cada nivel de organización de los sistemas biológicos posee mecanismos de retroalimentación que hace que, en parte, se comporten como sistemas cibernéticos. Las poblaciones de un determinado ecosistema, o si se quiere de la biósfera, poseen mecanismos de regulación. Cuando abunda una especie que se alimenta de otra, aquélla, es decir el depredador, aumenta rápidamente de número ocasionando una reducción sustancial de la presa. Como consecuencia de la falta de alimento, la densidad del depredador decae, lo que permite una recuperación de la población diezmada. En el ejemplo del vegetal, los azúcares que se han acumulado como sustancias de reserva, son utilizados en la propia nutrición celular, por lo que son oxidados, liberándose una determinada cantidad de energía que sale del sistema como sustancias de desechos. Cada nivel de organización del ecosistema o cada nivel de organización de la planta, es un sistema cibernético que le proporciona una identidad particular.

Los sistemas, incluyendo los ecológicos, pueden describirse

verbal o gráficamente, pero cuando existe suficiente información, pueden expresarse en términos matemáticos. Merced a estos modelos de sistemas matemáticos, pueden predecirse las salidas que se operarán en los ecosistemas. Este método reviste gran importancia en el manejo adecuado de los ecosistemas explotados, pues permite deducir qué utilidad se puede obtener de ellos sin alterar su estabilidad. Es decir, que la cantidad de energía que se saca del ecosistema, equilibre a las entradas y permita la retroalimentación de los diferentes componentes del sistema.

Planteados en estos términos prácticos, se podría definir a la *ecología como la ciencia que estudia las transformaciones energéticas y su administración adecuada.*

Para elaborar los modelos de referencia el ecólogo debe ante todo, producir información cierta y valedera. Esta tarea, desde el punto de vista teórico y práctico no es fácil de realizar. Se requiere entrenamiento, dedicación y elaboración de criterios adecuados que permitan una reproducción objetiva de la realidad que, por cierto, es muy compleja al tratarse de ecosistemas. Si la información no es correcta, o si los parámetros considerados no son los más adecuados, las predicciones no serán correctas. En estas tareas las computadoras resultan indispensables, pero cabría señalar que "si a las computadoras se las alimenta con basura, basura saldrá..." [1]

Resumiendo lo expuesto en líneas anteriores, los ecosistemas son sistemas abiertos cuyos componentes bióticos y abióticos interactúan en forma muy compleja y poseen sus propios mecanismos de retroalimentación.

Al decir de Margalef [2] la delimitación de ecosistemas es obra de Procusto. El ecólogo, en última instancia, adecua los límites de los ecosistemas a las necesidades de su trabajo. Por lo tanto pueden considerarse como ecosistemas la isla Providencia: un bosque tropical o una parte de él, las aguas marinas litorales o una bahía o golfo, un campo de pastoreo, una charca de agua de lluvia o un acuario experimental en un laboratorio.

La intervención del hombre en los ecosistemas naturales provoca cambios de tal naturaleza, que obliga a una diferenciación entre ecosistemas naturales y ecosistemas huma-

[1] W. Beckerman, "Requisitoria contra el Club de Roma", en *El Club de Roma. Anatomía de un grupo de presión*, México, Cid Ediciones, 1976.
[2] R. Margalef, "El ecosistema", en *Ecología marina*, Caracas, Ed. Fundación La Salle de Ciencias Naturales, 1972.

nos. Aún existen sobre el planeta bosques vírgenes, desiertos, ríos, lagos, grandes extensiones de los océanos que no han sido intervenidos o modificados en su estructura y funcionamiento por la acción del hombre y que se incluyen dentro del primer grupo. En el otro, encajan los ecosistemas producto del trabajo humano: ecosistemas rurales y ecosistemas urbanos, como son los establecimientos rurales, los plantíos forestales, los conglomerados rurales y las ciudades.

En muchas situaciones resulta difícil separar nítidamente los diferentes tipos de ecosistemas o fijar límites entre los ecosistemas acuáticos y los terrestres. Tal es el caso de los ecosistemas isleños en donde se establecen interrelaciones marcadas entre los procesos ecológicos del medio terrestre y del litoral marítimo aledaño (aguas costeras, arrecifes de coral, etcétera) (figura 3).

I. ESTRUCTURA DEL ECOSISTEMA

Se ha visto que la energía radiante, al llegar a la biósfera, es fijada y transformada por los vegetales, transfiriéndose posteriormente a los animales. Se establecen de este modo niveles de producción y degradación de la materia orgánica. Con el fin de mostrar los componentes básicos responsables de estos procesos, resulta ilustrativo el esquema de un ecosistema hipotético, subordinado a la biósfera (figura 4). Se advierte inmediatamente que existen varias entradas al sistema: energía radiante, materia orgánica y materia inorgánica (sales nutritivas), entradas que son compensadas con salidas de energía (calor), materia orgánica y materia inorgánica. Se producen intercambios entre ecosistemas vecinos. Como el nuestro es un ecosistema que ha adquirido cierto grado de madurez, se pueden diferenciar varios niveles tróficos (N_1 a N_4). Su número sería inferior en caso de tratarse de un ecosistema inmaduro o simplificado.

El primer nivel trófico (N_1) es el de los *productores* (P) que representan la etapa básica de la vida. Son los únicos capaces de fijar la energía radiante (ER). Es la verdadera reserva energética del ecosistema. Son las plantas verdes (con clorofila) las que utilizan la energía solar para transformar las sales nutritivas (S), el anhídrido carbónico (CO_2) y el agua (H_2O) en sustancias orgánicas de mayor complejidad; transforman la energía radiante en química (EQ). De este modo la productividad básica o primaria puede expresarse

FIGURA 3
Interacciones de ecosistemas terrestres y acuáticos en una isla del Caribe (Roatán, Honduras).

Ecosistemas: 1 = pinar; 2 = bosque tropical húmedo; 3 = bosque secundario; 4 = parcela agrícola; 5 = cocotal (palmar); 6 = asentamientos humanos; 7 = laguna arrecifal; 8 = arrecife coralino.

Impactos ambientales: A = desforestación; B = sobrecaza; C = erosión; D = contaminación por pesticidas (eventual); E = tala y quema del bosque; F = contaminación doméstica; G = sobrepesca.

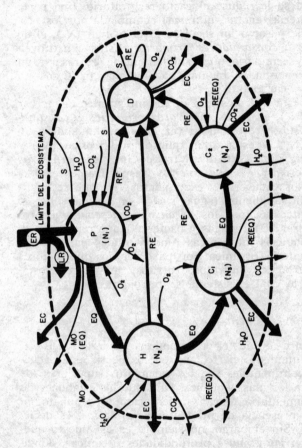

FIGURA 4

Estructura y funcionamiento de un ecosistema (esquematizado). ER = energía radiane (solar); LR = luz reflejada; P = productores (organismos autótrofos); S = sales nutritivas; H_2O = agua; CO_2 = anhídrido carbónico; EC = energía calórica; MO = materia orgánica (detritos); EQ = energía química; O_2 = oxígeno; H = herbívoros (organismos heterótrofos); C_1 = carnívoros primarios (hetrótrofos); C_2 = carnívoros secundarios (heterótrofos); RE = restos y excrementos; D = organismos desintegradores (hongos, bacterias); N_1 a N_4 = niveles tróficos.

en términos de energía por unidad de superficie o volumen, y de tiempo (cal/m²/hora),[3] o bien en términos de materia orgánica sintetizada (g/m²/día). Esta productividad primaria posee dos componentes: la *productividad primaria bruta o total*, que incluye la biomasa acumulada y la energía gastada. en el propio metabolismo (respiración), y la *productividad neta*, a la cual se le reduce el gasto respiratorio. Una parte de toda la materia (energía química) acumulada por los productores, puede pasar a un segundo nivel trófico (N_2), el de los *herbívoros o consumidores primarios*. Éstos constituyen la producción secundaria que también puede expresarse en términos de energía o biomasa acumulada (g C/m^2) o (g C/m^3). C = carbono.

La biomasa está a disposición de los integrantes del tercer nivel trófico (N_3), el de los *carnívoros primarios o consumidores secundarios*, y éstos, a su vez, pueden alimentar a un cuarto nivel (N_4), y éstos a un quinto nivel trófico (N_5) y éstos, a su vez, a un sexto nivel trófico (N_6) de *carnívoros secundarios, terciarios o cuaternarios*, respectivamente.

Finalmente los cadáveres y excrementos (R) que se incorporan al medio ambiente (agua, suelo) en forma sólida o disuelta son atacados por los *organismos descomponedores o desintegradores* (D) (hongos y bacterias) que reintegran al medio las sustancias inorgánicas fundamentales para la síntesis de la materia orgánica por parte de los productores (anhídrido carbónico, nitratos, nitritos, amoniaco, fosfatos, etc.) con lo cual el sistema se retroalimenta.

Cadenas y tramas alimentarias

Un viejo refrán dice que "el pez grande se come al chico..." y eso es absolutamente cierto, aun en los ecosistemas acuáticos. En los continentales son los carnívoros superiores los que se comen a los más pequeños. Para que los eslabones de una cadena alimentaria tengan sustentación es requisito indispensable la presencia de productores primarios, es decir, plantas verdes. Sin embargo, no siempre es así puesto que, por ejemplo, en las grandes profundidades oceánicas, donde no penetra la luz solar, no existen vegetales. Allí las cadenas alimentarias se inician en los detritívoros, animales que se alimentan de los restos orgánicos semidescompuestos que caen desde arriba.

Los animales herbívoros, así como los detritívoros, son a

[3] Cal = caloría = cantidad de energía calórica necesaria para elevar la temperatura de un gramo de agua, un grado Celsius (entre 14.5 y 15.5°C). Kcal = Kilocaloría = 1 000 cal.

su vez el sostén de otros heterótrofos conformando, de este modo, una *cadena alimentaria* (figura 5).

Los productores primarios en los mares y aguas dulces (figura 6), están representados por el fitoplancton (diminutas algas verdes que viven a la deriva: diatomeas, dinoflageladas, cianofíceas, clorofíceas), las algas superiores y las fanerógamas acuáticas que viven fijas al sustrato. De ellas se alimentan los zooplanctontes, por lo general también microscópicos y a la deriva, grupo en el que predominan los crustáceos, las larvas de invertebrados, los huevos y larvas de peces, y también un sinnúmero de invertebrados y aun muchos peces y otros animales superiores. El tercer eslabón está por lo general integrado por peces que, debido a sus hábitos alimentarios, se los conoce con el nombre de planctívoros (anchoas, mojarras, palometas, pejerreyes) o bien comedores de invertebrados menores que viven ligados a la vegetación; estos peces son perseguidos por carnívoros secundarios ictiófagos (comedores de peces) entre los que se destacan las merluzas, pargos, meros, etc. Estos animales son depredados a su vez en los mares por tiburones, atunes, delfines y cachalotes.

En los ecosistemas continentales, los árboles y los pastos remplazan al fitoplancton; los herbívoros, venados o ganado, a los peces y los carnívoros, como los pumas y jaguares, a los otros peces superiores.

Esos tipos de cadenas lineales difícilmente se presentan en la naturaleza. Por lo general, se establecen relaciones de alimentación entre cadenas, por lo que el flujo de energía puede seguir caminos muy diferentes. Constituyen de esa forma una *trama* o *red trófica*. Por lo general, los herbívoros no se alimentan de una única especie de diatomea o de gramínea, sino que ingieren todas las especies de diatomeas o de gramíneas presentes. Otro tanto ocurre con los carnívoros. En la figura 6 se sintetiza una trama trófica de aguas litorales templadas, en la que ciertos organismos resultan ser claves en el flujo energético. Por tratarse de un ecosistema de aguas litorales bajas, resulta difícil separar las cadenas netamente pelágicas [4] de aquellas de organismos bentónicos,[5] por lo que resulta una integración que aumenta la complejidad del sistema. Las entradas son múltiples, como así también las salidas y las transformaciones que se operan en los distintos niveles de producción.

[4] Pelágico/a = se dice de los organismos que viven en la columna de agua de los mares y lagos.
[5] Bentónico/a = se dice de los organismos que viven en relación con los fondos.

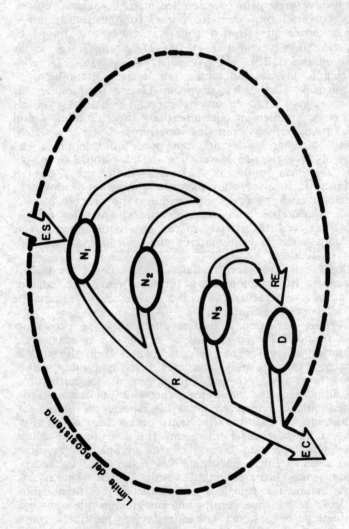

FIGURA 5
Cadena alimentaria (esquematizada). ES = energía solar; EC = energía calórica; R = respiración; RE = restos y excrementos; N_1 = plantas verdes (productores); N_2 = herbívoros (consumidores primarios); N_3 = carnívoros primarios (consumidores secundarios); D = organismos reductores (desintegradores).

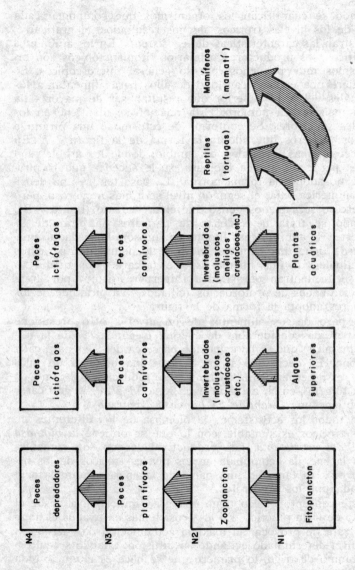

FIGURA 6
Distintos modelos de cadenas alimentarias marinas. La unión de varias cadenas alimentarias forma una red o trama trófica.

Pirámides ecológicas

Cuando se cuantifican los organismos que componen cada uno de los niveles tróficos algunos resultados, al graficarse, muestran las características del ecosistema. En los ambientes acuáticos, los productores primarios fitoplanctónicos son organismos muy pequeños, por lo general microscópicos. Se requiere una enorme cantidad de ellos para alimentar a los animales del nivel superior que resultan ser de mayor talla pero menores en número. Esta relación se mantiene en los niveles superiores. Se conforma de este modo una pirámide de los números que adopta la forma de la figura 7 A. En los ecosistemas forestales, en cambio, donde los árboles son pocos pero con mucha biomasa, suele suceder que la pirámide no adopte la forma normal. La base tendrá una densidad numérica baja; el segundo nivel será más numeroso, pero el tercero será menos denso que el precedente (figura 7 B). Cuando se trata de cadenas de parásitos, la pirámide se invierte. He aquí un caso hipotético: un solo hospedador (mamífero) tiene una cantidad elevada de nemátodes parásitos intestinales de una misma especie (ascaris), los que a su vez se encuentran parasitados (hiperparasitismo) por grandes cantidades de protozoarios (ciliados). La pirámide de los números adopta la forma de la figura 7 C.

El paso de los alimentos de un nivel a otro presupone una pérdida considerable de energía (segunda ley de la termodinámica) que se ha calculado en cerca del 90% para cada eslabón. Es decir que si en N_1 hay una biomasa de 1 000 g/m², es de esperar que en N_2 ésta se reduzca a 100 g/m²; en N_3 a 10 g/m², en N_4 a 1 g/m² y en N_5 a 0.1 g/m². Al graficarse se obtiene una *pirámide de biomasa* (figura 8).

En todos los ecosistemas la biomasa de los diferentes niveles tróficos es sumable, con lo que se obtiene la *biomasa total del ecosistema*. Las productividades no son sumables pues la energía acumulada en los niveles tróficos de los herótrofos es tan sólo una parte de la energía química acumulada por los autótrofos.

Este concepto básico tiene una gran importancia desde el punto de vista práctico. En los ecosistemas cultivados el hombre trata de provocar la máxima acumulación de energía en un nivel determinado evitando su difusión. Cuando se cultiva un campo de trigo, lo primero que se hace es eliminar toda posible competencia de malezas y organismos heterótrofos de cualquier nivel, especialmente los herbívoros. La energía se concentra fundamentalmente en las espigas para pasar luego directamente a la economía humana. En un campo de pas-

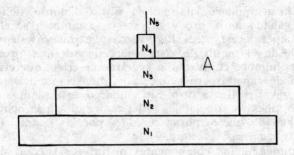

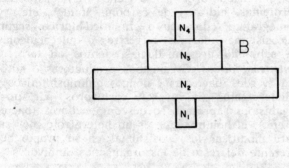

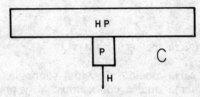

FIGURA 7
Pirámides ecológicas.
A. Pirámide de los números en el medio ambiente marino (por unidad de superficie o volumen). N_1 = fitoplancton (millones de células); N_2 = zooplancton (cientos de miles de organismos); N_3 = peces zooplanctívoros (decenas de individuos); N_4 = peces ictiófagos (algunos individuos); N_5 = peces depredadores de gran tamaño o mamíferos (ejemplares aislados).
B. Pirámide de los números en el medio ambiente terrestre. N_1 = árboles (uno o dos); N_2 = insectos fitófagos (cientos); N_3 = aves insectívoras (varias); N_4 = carnívoros (uno o dos).
C. Pirámide de los números en cadenas de parásitos. H = hospedador (uno); P = parásitos (varios); HP = hiperparásitos (decenas).

toreo la acumulación de energía, útil al hombre, tiene lugar
en el ganado herbívoro y en este caso también se eliminan
los competidores: otros herbívoros y carnívoros depredadores. Desde el punto de vista energético es más productivo
para el hombre cultivar una hectárea de trigo, que criar una
cabeza de ganado para evitar la pérdida energética del paso
de un nivel trófico a otro. Sin embargo, este planteo resulta
teórico, pues en situaciones prácticas resulta más beneficioso
criar ganado que sembrar cereales, por las condiciones climáticas, edáficas, etcétera.

Resumiendo, los componentes de un ecosistema son:

a] *Componentes abióticos.* Sustancias inorgánicas (carbono, nitrógeno, anhídrido carbónico, oxígeno, etc.); sustancias
orgánicas (proteínas, hidratos de carbono, lípidos, etc.) y
régimen oceanográfico, climático o climático-hídrico, según
se trate de ecosistemas marinos, terrestres o dulceacuícolas
(temperatura, salinidad, presión, lluvias, vientos, etcétera).

b] *Componentes bióticos.* Organismos productores o autótrofos (plantas verdes, bacterias y hongos quimiosintéticos);
organismos heterótrofos (herbívoros, carnívoros, parásitos,
etcétera); organismos saprófagos o descomponedores (bacterias, hongos, etc.); el hombre, que es un heterótrofo, por su
capacidad para modificar los ecosistemas en su propio beneficio es diferente del resto de los organismos omnívoros.

II. FUNCIONAMIENTO DEL ECOSISTEMA

Sin agua no sería posible la vida sobre la Tierra, por lo
menos en la forma que la conocemos. Muy probablemente la
vida comenzó en las costas marinas hace unos 3 500 millones
de años como consecuencia de fenómenos físico-químicos
desencadenados bajo determinadas condiciones ambientales.

El agua es un solvente universal capaz de disolver la mayor
parte de las sales minerales, aunque algunas son mucho más
solubles que otras. Un alto porcentaje de agua forma parte
de los tejidos animales y vegetales, a tal punto, que en la
mesoglea de ciertos celenterados (medusas) llega al 99%.

El ciclo hidrológico es uno de los fenómenos más importantes de la naturaleza (figura 9). El agua puede pasar por
los estados sólido, líquido y gaseoso y circula permanentemente a través de los polos y de las altas montañas (nieve, hie-
lo), de la atmósfera (vapor de agua) y de los ríos (superficiales y subterráneos) hasta que se acumula en grandes

cuencas lacustres, mares y océanos. El ciclo se reinicia con la evaporación debida a la acumulación de energía calórica en las moléculas de agua.

A su paso por la litósfera el agua disuelve minerales de las rocas y transporta sales nutritivas que se agregan a las aguas dulces y oceánicas. Si el drenaje superficial es incontrolado, produce erosión (lavado de suelos), de consecuencias catastróficas. Millones de toneladas métricas de sedimentos

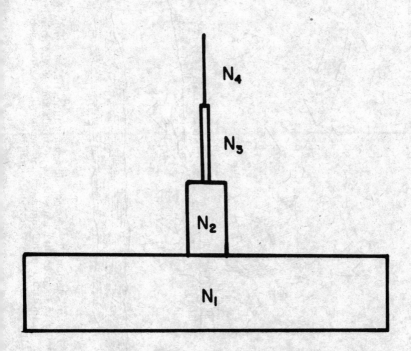

FIGURA 8
Pirámide de biomasa. N_1 = producción primaria (vegetales) 1 000 g; N_2 = producción secundaria (herbívoros) 100 g; N_3 = producción terciaria (carnívoros primarios) 10 g; N_4 = producción cuaternaria (carnívoros secundarios) 1 g. Las cifras son teóricas y no corresponden a una cadena ni a un área determinada.

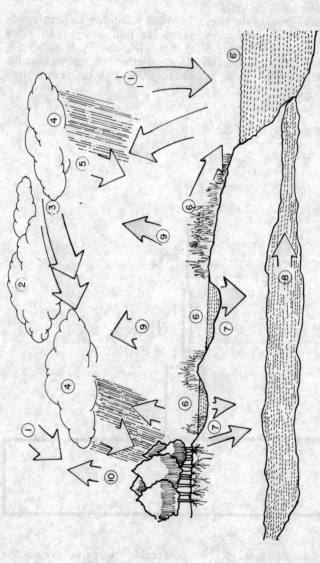

FIGURA 9

Ciclo del agua. 1 = insolación; 2 = vapor de agua (nubes); 3 = vientos; 4 = condensación del vapor de agua (lluvia, nieve); 5 = precipitaciones; 6 = acumulación y escurrimiento de aguas superficiales (lagos, ríos, mares); 7 = infiltración del agua en los suelos; 8 = aguas subterráneas; 9 = evaporación; 10 = evaporación de la transpiración de vegetales y animales.

son arrastrados permanentemente por los ríos a los océanos. Otros desaguan en lagunas y lagos colmando lentamente sus cuencas hasta hacerlos desaparecer.

El agua es un recurso renovable. No se degrada ni se pierde fuera de la atmósfera; sólo cambia de estado y perdura dentro del ciclo hidrológico del planeta. La circulación de agua en la Tierra se ha estimado en $1\,359 \times 10^{12}$ m^3.

Algunos datos ilustran sobre la cantidad de agua necesaria en la producción de alimentos y artículos industriales: [6]

1 naranjo	341-416	l
1 huevo	454-568	l
½ kg de pan	1 135	l
1 l de leche	3 581	l
½ kg de carne vacuna	13 248	l
1 traje de lana	851 625-946 250	l
1 automóvil mediano	246 025	l
1 tonelada de carbón usada en una planta eléctrica	600 000	l

Ciclos biogeoquímicos

Entre 30 y 40 elementos químicos son parte integrante de la materia viva. Entre ellos se destacan hidrógeno, carbono, oxígeno, nitrógeno y fósforo. Cuantitativamente menores pero igualmente vitales son hierro, magnesio, calcio, sodio, potasio, azufre y sílice. La ausencia de alguno de ellos en el medio abiótico limita la producción biológica.

Estos elementos se mueven cíclicamente en la naturaleza, pasando sucesivamente a formar parte de los organismos y del ambiente abiótico. En el transcurso de su ciclo van formando parte de diferentes compuestos químicos. De aquí el nombre de ciclos biogeoquímicos. En cada ecosistema, y en la biósfera en general, existen ciclos de materia que acompañan al flujo energético.

Los ciclos del oxígeno y del carbono son de fase gaseosa, es decir, que pasan a través de la atmósfera antes de llegar a los organismos. En cambio, los ciclos del nitrógeno y del fósforo tienen fases sedimentarias, por lo que ingresan a los organismos a través de sales nutritivas disueltas en agua, aunque el primero tenga también una fase gaseosa.

[6] B. Sutton y P. Harmon, *Fundamentos de ecología*, México. Limusa, 1979.

Todos los ciclos biogeoquímicos tienen como eslabón biológico inicial a los vegetales, los únicos organismos capaces de sintetizar la materia orgánica a partir de sustancias inorgánicas.

Ciclo del carbono. El carbono es un elemento profusamente difundido en la naturaleza. Forma parte de la inmensa mayoría de las moléculas orgánicas y de numerosas sales inorgánicas. En la atmósfera y en las aguas naturales se encuentra en forma de anhídrido carbónico (CO_2). Las plantas lo absorben y en presencia de agua y energía solar, lo transforman (fotosíntesis) en carbohidratos (azúcares). Los animales herbívoros, al digerirlos, los oxidan (respiración) y los transforman, generando nuevamente anhídrido carbónico que retorna a la atmósfera o a las aguas (figura 3). La estabilidad de los gases atmosféricos y del aire disuelto en las aguas, depende en última instancia, de este proceso de transformación.

Ciclo del nitrógeno. La atmósfera es el principal reservorio de nitrógeno (79% del aire). Las aguas de lluvia lo arrastran (figura 10) en forma de ácido nítrico, que se genera como consecuencia de las descargas eléctricas y una vez en los sedimentos, se combina con otros elementos. Al formarse sales (nitratos) que las plantas asimilan, se incorporan a los tejidos vegetales como moléculas proteicas. Los animales ingieren estos alimentos, los transforman y los incorporan a sus tejidos. Los desechos animales y vegetales (excretas, cadáveres) son descompuestos por bacterias y hongos en etapas sucesivas hasta formar nitratos, que pueden ser nuevamente asimilados por los vegetales. Así como existen bacterias desnitrificadoras, que al romper las moléculas de nitratos liberan nitrógeno que vuelve a la atmósfera, también existen ciertas bacterias capaces de fijar el nitrógeno atmosférico. Esto ocurre particularmente en las raíces de las leguminosas (alfalfa, frijoles, algarrobo). Las algas marinas cianofíceas también son capaces de fijar el nitrógeno libre.

Las erupciones volcánicas, por su parte, enriquecen la atmósfera con nitrógeno libre.

Ciclo del fósforo. A diferencia de los anteriores, es un ciclo absolutamente sedimentario ya que el fósforo no forma parte de la atmósfera, salvo en casos muy particulares de contaminación atmosférica. Se combina con otras sustancias para formar fosfatos (fosfato de calcio, magnesio) que son muy solubles en agua. Las plantas los absorben por medio de sus raíces, se transforman y forman parte de tejidos vegetales en moléculas caracterizadas por su gran energía (RNA,

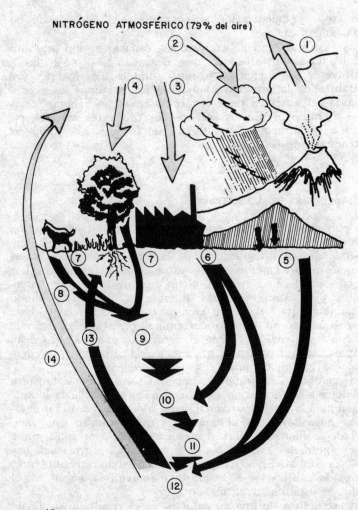

NITRÓGENO ATMOSFÉRICO (79% del aire)

FIGURA 10
Ciclo del nitrógeno. 1 = nitrógeno libre procedente de emanaciones volcánicas; 2 = fijación del nitrógeno atmosférico por
descargas eléctricas y precipitación a través del agua de lluvia;
3 = fijación del nitrógeno atmosférico por procedimientos industriales; 4 = fijación del nitrógeno atmosférico por bacterias
que viven en las raíces de las plantas leguminosas; 5 = infiltración del agua de lluvia cargada de nitrógeno; 6 = abonos químicos de la agricultura; 7 = restos animales y vegetales; 8 = urea;
9 = putrefacción de restos orgánicos; 10 = amoniaco; 11
= nitritos; 12 = nitratos; 13 = sales nutritivas absorbidas por
las plantas; 14 = denitrificación y liberación del nitrógeno.

DNA, ATP),[^] y luego a los tejidos animales a través de las cadenas tróficas.

Los restos orgánicos, excreciones, cadáveres, son atacados por bacterias fosfatizantes que degradan las moléculas y restituyen a los suelos los fosfatos solubles. Los fosfatos son limitantes de la productividad biológica en todos los ecosistemas y su ausencia debe ser remplazada por abonos orgánicos o sintéticos. En los océanos, los "desiertos marinos" se deben especialmente a la ausencia de fosfatos que inhibe el crecimiento de las algas.

III. EVOLUCIÓN DEL ECOSISTEMA

Las poblaciones, las comunidades y los ecosistemas no son colectivos estáticos. Ellos poseen una dinámica propia que depende de sus integrantes y de las condiciones geográficas en que históricamente se ha establecido el colectivo. Los cambios obedecen a razones intrínsecas de los propios organismos y a causas externas (factores ecológicos). Cuando los cambios que se operan en una comunidad o ecosistema se realizan en un sentido determinado, se dice que existe una *sucesión ecológica*. Por el contrario, cuando se operan cambios que retrotraen el proceso a una situación precedente, se ha producido una *regresión ecológica*.

Los cambios sucesionales se operan sobre toda la biósfera y tienden a la formación de ecosistemas en donde la biomasa acumulada es proporcionalmente alta y el consumo energético muy bajo. Las comunidades que alcanzan esta estabilidad, se llaman *clímax* o *climáxicas*, en contraposición a las comunidades *serales*, que son las etapas previas del proceso sucesional. En el caso de los ecosistemas resulta más apropiado calificarlos de *maduros* o *inmaduros*, según sea el grado de estabilidad alcanzado.

La estructura de una comunidad es el resultado de la interacción entre múltiples factores bióticos y abióticos. En ellas llega a dominar una especie determinada que les da su *fisonomía*. Estas especies, como consecuencia de su propia expansión, generan condiciones ambientales (abióticas) que dificultan el crecimiento de sus propios descendientes (falta de luz, carencia de nutrientes, ausencia de espacio, desecación, etc.). Estos cambios de las variables ambientales pue-

RNA = ácido ribonucleico.
DNA = ácido desoxirribonucleico.
ATP = adenosina trifosfato.

den sin embargo resultar favorables a otras especies que, al aumentar su densidad y su biomasa, concluyen por eliminar a las precedentes, generando de este modo una nueva comunidad con nuevos requerimientos y nuevas relaciones de competencia y complementación. Este proceso histórico de remplazo puede ser lo suficientemente largo como para que no se observen todas las etapas serales, sino que para interpretar el fenómeno, será preciso reconstruirlas en el espacio y en el tiempo. Cuando se alcanza el equilibrio climáxico, éste continúa siendo dinámico. Su brusca modificación puede acaecer por un fenómeno catastrófico regresivo natural (inundaciones, incendios, huracanes, maremotos) o bien provocados por el hombre (incendios, desmonte, sobrepastoreo, sobrepesca, contaminación). Las regresiones son seguidas de un nuevo proceso sucesional (sucesión ecológica secundaria) que en el mejor de los casos, conduce a la misma etapa clímax. En otros casos en que la perturbación pudo llegar a ser muy grave, las comunidades no se rehabilitan sino que dan paso a nuevas etapas serales que conducirán a otro tipo de comunidad.

Si bien los conceptos de sucesión han sido desarrollados por los ecólogos vegetales, los cambios serales arrastran consigo a los animales que integran el ecosistema y que no pueden, o no tienen la plasticidad adaptativa necesaria como para continuar viviendo ante las nuevas condiciones ambientales.

Un ejemplo muy ilustrativo sobre las sucesiones ecológicas es el de las lagunas de agua dulce donde, en diferentes situaciones geográficas, se pueden reproducir condiciones evolutivas semejantes. Esto hace posible la predicción de las etapas serales, o lo que es lo mismo, la predicción de la evolución del ecosistema, si es que ya se dispone de información suficiente sobre la sucesión. La comunidad clímax será una expresión del bioma en que se encuentra enclavado el cuerpo de agua.

En las llanuras pampeanas de Argentina existen lagunas de distinto origen geológico en diferentes estados de evolución. Se puede predecir que la sucesión conduce a la clímax de la pradera herbácea (campos de pastoreo que pueden ser cultivados) a no ser que el hombre interfiera para mantener su funcionamiento como ecosistemas acuáticos. En las lagunas bonaerenses se han diferenciado varias comunidades serales [8] a algunas de las cuales se hará referencia (figura 11).

[8] S. R. Olivier, "Estudios limnológicos en la laguna Vitel", en revista *Agro*, La Plata, Buenos Aires, 1961.

A. *Comunidad de plantas sumergidas arraigadas.* Pueden o no llegar a la superficie, pero al reducir la circulación y la agitación del agua, favorecen la decantación de los sedimentos que levantan paulatinamente el fondo. Viven asociados a ellas peces pelágicos como el pejerrey, las mojarras y el dientudo, de importancia económica.

B. *Comunidad de plantas flotantes.* Desde las áreas costeras protegidas progradan hacia el centro del espejo de agua. Se favorece aún más la sedimentación. Se hace mucho más abundante la fauna de insectos acuáticos y herbívoros. La tararira, un pez muy voraz, encuentra lugares propicios para su reproducción y protección y las aves acuáticas y palustres aumentan considerablemente.

C. *Comunidad de juncos.* El relleno paulatino del fondo permite el arraigo de plantas estoloníferas que actúan como un filtro de decantación, acelerando la sedimentación. Entre los juncales prosperan los insectos herbívoros y carnívoros, y las ranas. Se presentan algunas nutrias. Los peces pelágicos decrecen considerablemente.

D. *Comunidad de totora.* Es una biocenosis aún más "seca" que el juncal. La laguna se ha transformado en un bañado donde ha desaparecido todo vestigio de fauna íctica de consideración. Se incrementa la población de ranas y nutrias. Comienzan a merodear algunos carnívoros de las praderas vecinas como los zorros, comadrejas y zorrinos.

E. *Comunidad de plantas herbáceas ribereñas o de plantas halófilas.* La laguna ha desaparecido por completo. Los suelos salinos pueden dar paso a la presencia de plantas halófilas que resisten ciertos períodos de inundación; cuando no, son plantas ribereñas con un alto grado de hidrofilia.

F. *Comunidad clímax del pastizal (pradera herbácea).* Las comunidades de gramíneas que dominan la pampa húmeda cubren rápidamente los suelos. Han desaparecido todos los animales vinculados a la vieja laguna. Los reptiles, las aves y los mamíferos son los de la pradera pampeana: cuises, vizcachas, liebres, zorros, comadrejas, zorrinos, chajáes, teruteru, etc. En ciertas partes estas áreas son cultivadas debido a la fertilidad de los suelos.

El hombre, al actuar sobre los ecosistemas naturales modifica profundamente su evolución determinando cambios, muchas veces irreversibles, en la sucesión ecológica. Cuando esa acción está fundada en premisas técnicas y científicas la productividad y la producción aumentan, pero en la mayoría de los casos la explotación irracional conduce a la degradación de los ecosistemas como áreas productivas útiles a la economía humana.

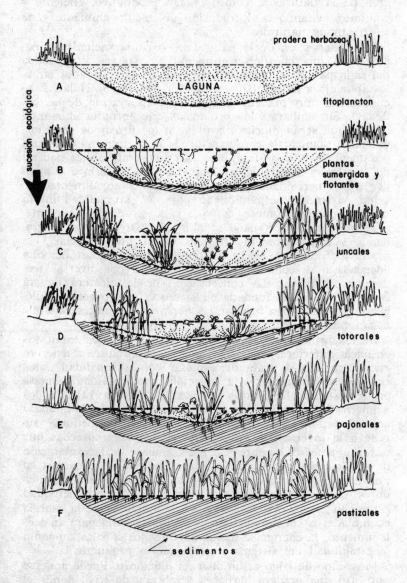

FIGURA 11
Sucesión ecológica en una laguna de la pampa argentina (esquematizada).

Es actividad prioritaria del ecólogo promover la conservación de la naturaleza como sistema productivo, eficiente y continuo, evitando la degradación del medio ambiente y de sus recursos naturales.

La conservación de la naturaleza, o conservacionismo, nació como una cuestión sentimental o estética a mediados del siglo pasado y, como tal, perdura en determinados círculos (por ej. la señora Brigitte Bardot y el rey de Holanda, se encuentran muy preocupados por la conservación de las ballenas). Sin embargo, los problemas que enfrenta el mundo actual, que serán mucho mayores en los próximos decenios, obligan a plantear la conservación de la biósfera no con fines puramente estéticos sino como lo que es: el hábitat natural del hombre y el sistema productivo que debe permitirle atender a sus necesidades más elementales como alimentación, salud, vivienda y esparcimiento. Si bien la realidad diaria muestra que "el hombre, como la rata, se adapta fácilmente, y aparentemente sin daño... a los ecosistemas más degradados y a un ambiente urbano totalmente artificial",[9] la aspiración humana es la de obtener una calidad de vida adecuada a su condición, tan reivindicada por diversas tendencias filosóficas. La conservación de la biósfera deberá estar por lo tanto, fundada en la teoría y la práctica ecológicas, las que deben brindar las herramientas necesarias que hagan posible alcanzar aquellos objetivos.

De los principios básicos de ecología energética expuestos en líneas anteriores, se destaca una cuestión básica a tener en cuenta cuando se trata de explotar con racionalidad a los ecosistemas naturales: la relación productividad/biomasa en ecosistemas inmaduros y maduros (figura 12). En los primeros, la productividad es mucho más alta que la biomasa acumulada, mientras que en los ecosistemas maduros sucede a la inversa. De este modo las mayores cosechas que puede obtener el hombre son precisamente de la explotación de ecosistemas inmaduros, donde la energía se almacena en uno o muy pocos compartimientos. En los ecosistemas maduros, donde la biomasa total es muy alta, la productividad es mucho menor debido a que la casi totalidad de la energía acumulada es consumida por el propio sistema para su sostenimiento; la energía se disipa por muchos canales, aumenta la estabilidad del sistema y desciende la productividad.

Un campo de trigo es un sistema inmaduro. Puede ponerse por caso una pradera herbácea sembrada de trigo donde el hombre ha operado como un factor regresivo de la sucesión

[9] R. Margalef, *Ecología*, Barcelona, Omega, 1974.

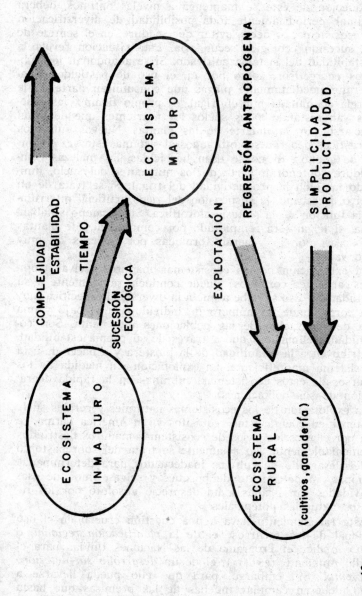

FIGURA 12
Sucesión ecológica, estabilidad y productividad de los ecosistemas rurales.

ecológica, ha eliminado una comunidad clímax, el pastizal y
ha introducido una comunidad seral, el trigal. Para que la
producción de éste se mantenga a niveles óptimos, deberá
eliminar periódicamente toda posibilidad de diversificación
del ecosistema, es decir, evitar que madure, en el sentido de
una sucesión ecológica secundaria. Esta situación revela la
inestabilidad del sistema cultivado. Si se abandonan los subsidios energéticos, como por ej. el uso de pesticidas, apa-
recerán inmediatamente plagas que consumirán parte de la
energía acumulada por el trigal. Al propio tiempo, las cosechas van restando a los suelos los nutrientes que debieron
reciclarse por la muerte de las plantas. Nuevos subsidios
energéticos deberán ser otorgados al sistema, esta vez en forma de abonos. Si no se usan herbicidas, las malezas com-
petidoras obtendrán parte de los nutrientes del suelo, limitando también la productividad del trigal. Si se trata de un
cultivo de secano, la suspensión del riego artificial interrum-
pe la función de la síntesis clorofílica. Si el campo se abandona, el trigal será remplazado por comunidades de plantas
herbáceas, por lo general, formadas por malezas de muy
poco valor.

La explotación de los ecosistemas maduros (selvas tropicales, arrecifes coralinos) puede conducir rápidamente a su
degradación. Eso se debe a que a la diversidad específica muy
alta corresponde un número de individuos muy bajo y una
tasa de renovación de las poblaciones muy lenta. Son comunidades climáxicas que a través de su propia estabilidad,
contribuyen a la estabilidad de la biósfera y a hacer de ésta
un sistema más eficiente. La explotación sin medida de los
recursos de estos ecosistemas, culmina con la rápida degradación de sus poblaciones.

La explotación de los ecosistemas naturales y rurales suele
no tener en cuenta estos requisitos y, en América Latina, se
dan por cientos los casos de ecosistemas maduros destruidos
irremediablemente. No solamente se trata del sobrepastoreo
o del desarrollo de cultivos inadecuados para determinadas
regiones, en detrimento de bosques y selvas, sino que esas
actividades van ligadas a un desprecio absoluto por los recursos naturales potenciales.

Este razonamiento lleva a una cuestión crucial en el uso
regional de los recursos: el de la *planificación regional*, o
como lo dice el Programa de las Naciones Unidas para el
Medio Ambiente (PNUMA), el de un *desarrollo sin deterioro
ambiental*. Sin embargo, para que ello pueda llevarse a
cabo, deberán cambiar muchas de las premisas que hasta
el momento han guiado al desarrollo y a la explotación de la

naturaleza. Entre ellas, la de perseguir como objetivo un crecimiento ilimitado; la instauración de ·sociedades de consumo que conllevan el rechazo a las formas tradicionales de producción y consumo; la implementación de tecnologías no adecuadas, pero de altos rendimientos económicos, que satisfacen los desmedidos afanes de lucro; y, en fin, la poca importancia que estos modelos de desarrollo dan al uso integral de los recursos naturales.

CAPÍTULO 2

MARCO ECOLÓGICO DE REFERENCIA PARA AMÉRICA LATINA Y EL CARIBE

Se ha dicho que la biósfera es en sí misma un gran ecosistema y que para un análisis más puntual, se la puede subdividir en una serie de ecosistemas principales y subordinados.

Un análisis general del paisaje, que integre los rasgos geográficos con los bióticos, permite reconocer tres grandes ambientes:

+ el *marino o halobios* (de *halos* = sal; *bios* = vida)
+ el *dulceacuícola o limnobios* (de *limnos* = lago)
+ el *terrestre o geobios* (de *geos* = tierra).

El hombre, ligado íntimamente a esos ambientes, ha construido lo que se ha llamado el *medio ambiente humano*, que puede subdividirse en dos tipos principales: el *rural* y el *urbano*.

I. EL MEDIO AMBIENTE MARINO

Los océanos cubren las tres cuartas partes del planeta. Tienen una profundidad media de 4 800 m (la profundidad máxima supera los 11 000 m) y el volumen de agua acumulada en sus cuencas es de aproximadamente 1 380 millones de km³. El medio ambiente marino es el más estable de la biósfera. No sufre bruscas variaciones de temperatura, a no ser en regiones de confluencia de corrientes oceánicas; la salinidad oscila poco a través del año; la oxigenación está asegurada por la acción constante de las olas y las corrientes; y la vida, que si bien no tiene la diversidad de la de los continentes presenta una inmensa gama de formas muy particulares.

Los océanos son la reserva energética más grande de la biósfera. Regulan el clima de los continentes y sus corrientes afectan profundamente a las regiones litorales. Sus recursos naturales, renovables y no renovables, adquieren cada día mayor relevancia.

Geográficamente es posible diferenciar cinco grandes cuencas oceánicas, que pueden ser consideradas como otros tantos ecosistemas principales: Pacífica, Atlántica, Índica, Ártica y Antártica.

En las zonas de confluencia de los ríos y el mar existen ecosistemas que son indistintamente estudiados por la *limnología*[1] o por la *oceanología*.[2] Son los estuarios, regiones en que la mezcla de aguas da como resultado ambientes salobres con una dinámica ecológica propia y que constituyen los ecosistemas de más alta producción en toda la biósfera.

En las regiones americanas de los océanos Atlántico, Pacífico y Antártico es posible diferenciar varios ecosistemas subordinados y muchos otros ecosistemas menores. Algunos tienen límites bien precisos, como es el caso del mar Caribe y el golfo de México, subordinados al Atlántico, y del golfo de California, subordinado al Pacífico. En cambio otros mares no tienen límites muy bien definidos desde el punto de vista ecológico, como son por ejemplo el mar Epicontinental Argentino cuyo límite exterior está señalado por el borde de la plataforma continental (200 m de profundidad), o el mar del Perú al que una línea imaginaria a 320 km de la costa lo separa del mar adyacente.

En sucesivas conferencias de las Naciones Unidas sobre derecho del mar la mayor parte de los estados aprobaron considerar como *Zona Económica Exclusiva* o *Mar Patrimonial*, las aguas y el subsuelo de los mares litorales hasta 320 km (200 millas) de la costa. Según este nuevo derecho internacional los recursos naturales de la zona son patrimonio de las naciones ribereñas. La mayor parte de los países de América Latina se han adherido a esa resolución. La importancia económica de los ecosistemas marinos litorales adquieren así una nueva dimensión para los países subdesarrollados. Perú, Chile, Ecuador y México han sido las naciones que más han bregado por ese derecho soberano.

A pesar de su estabilidad, el medio ambiente marino no es uniforme. Sus diferencias regionales se manifiestan, por ejemplo, en posibilidades pesqueras de muy diverso orden. Los mares latinoamericanos poseen regiones de extrema riqueza, como el mar del Perú y el sector Antártico sudamericano, y regiones de producción limitada como la mayor parte de las aguas tropicales. Esas diferencias son de índole ecológica, como la influencia de determinadas corrientes marinas, el afloramiento de aguas profundas, la cantidad de

[1] *Limnología* = Ciencia que se ocupa del estudio de las aguas continentales.
[2] *Oceanología* = Ciencia que se ocupa del estudio de los océanos.

nutrientes disueltos, la cantidad de luz disponible, etcétera.

Las cadenas tróficas en los mares se inician en verdaderos "campos de pastoreo", formados por el fitoplancton. En regiones litorales, especialmente de aguas frías, existen "bosques submarinos" formados por algas superiores, muchas de ellas industrializables y otras comestibles. Las cadenas concluyen en animales superiores tales como los reptiles (tortugas), peces, aves y mamíferos, pero hay eslabones intermedios formados por invertebrados de no menor importancia económica: langostas, camarones, calamares, ostras, mejillones (figura 6).

En el subsuelo oceánico se presentan importantes recursos no renovables. Entre ellos se destaca el petróleo de las costas de Campeche (México) y Maracaibo (Venezuela). A grandes profundidades ·de los océanos Atlántico y Pacífico han sido localizados ricos yacimientos de nódulos polimetálicos de cobre, manganeso y níquel. Su explotación dependerá de la reglamentación que aprueben las Naciones Unidas en el contexto del derecho del mar. En regiones como el sur de Chile, donde los nódulos se encuentran dentro de los límites del mar patrimonial, el propio país decidirá sobre la mejor forma de explotarlos, pero en aguas internacionales parece lógico pensar que esos yacimientos deberían ser considerados como patrimonio de la humanidad, y que como tal no deberían quedar a merced de los países o de las empresas transnacionales que disponen de la tecnología como para explotarlos.

Los mares latinoamericanos no han sido explorados ni estudiados en la medida de los intereses de los países ribereños. Salvo en contadas ocasiones, no se han realizado investigaciones sistematizadas y de largo alcance. La oceanología es por cierto una ciencia muy costosa, pero seguramente no tanto como la carrera armamentista en la región... El desarrollo de investigaciones oceanológicas no solamente requiere de navíos especiales y de instituciones académicas y técnicas, sino también de recursos humanos capacitados a niveles adecuados a la investigación científica moderna. En la oceanología latinoamericana se advierten las mismas contradicciones que en las ciencias ecológicas de los países subdesarrollados.

Los arrecifes coralinos. Un ecosistema de primera importancia en el mar Caribe

Los arrecifes de coral tienen una amplia distribución en los mares tropicales. Son ecosistemas sumamente complicados. Requieren para su normal funcionamiento una profundidad menor de 50 m e isotermas anuales superiores a los 20°C. Las altas temperaturas favorecen el metabolismo del calcio, razón por la cual no solamente tienen un crecimiento notable los corales (madreporarios y zoantarios) sino también los hidrozoarios calcificados (coral de fuego), los crustáceos (cirrípedios, cangrejos, langostas), los moluscos (gasterópodos, pelecípodos), los equinodermos (erizos, estrellas), los poliquetos tubícolas, los foraminíferos y las algas calcáreas entre las que se destacan las rojas del género *Lithothamnion* y las verdes del género *Halimeda*. Estos organismos, en conjunto, son los formadores de los sedimentos que cubren la mayor parte de las playas del mar Caribe (arenas blancas). En ciertos casos el aporte de las algas es tan grande que los sedimentos reciben el nombre de *coralgales*.

La distribución geográfica de los arrecifes se circunscribe al margen occidental de los continentes debido a que en los litorales orientales el arribo de aguas frías, procedentes de las altas latitudes, inhibe su crecimiento. En el Atlántico americano son importantes las formaciones arrecifales en el mar de las Antillas, en el golfo de México y en el noreste del Brasil.

Charles Darwin fue el primero en dar una explicación sobre el origen de los arrecifes y sus teorías, con muy pocas modificaciones, son aceptadas actualmente. Los arrecifes necesitan de bajos fondos para iniciar su asentamiento y desarrollo. Parte de los continentes e islas volcánicas y tectónicas son el sustrato donde se asientan los arrecifes de barrera marginales y los atolones.

Otros factores ambientales, además de la temperatura, deben ser estables para que los arrecifes puedan prosperar: aguas transparentes, con muy poco seston [3] y sin sedimentos en suspensión; estas condiciones son las que favorecen la buena iluminación necesaria para la fotosíntesis de las dinoflageladas, que viven en simbiosis con los corales. La salinidad debe oscilar alrededor de 35‰. De modificarse estas características ambientales, como por ejemplo debido al arrastre de sedimentos por erosión de las áreas costeras o

[3] *Seston.* Vocablo con el que se designa a todas las partículas suspendidas en las aguas orgánicas (plancton) e inorgánicas (arena, arcilla).

la descarga incontrolada de aguas residuales, la degradación de los arrecifes puede ser total (figura 3).

Los arrecifes coralinos han sido considerados[4] como las comunidades más maduras de los ecosistemas marinos por su relación productividad/biomasa baja. Es que ya no acumulan más biomasa, muestran relaciones interespecíficas muy complejas y bien definidas (diversos consorcios tales como parasitismo, simbiosis, comensalismo, etc.). La competencia, que ha operado por mucho tiempo, ha conducido a la segregación y multiplicación de los nichos ecológicos con el consiguiente aumento del índice de diversidad. Las tasas de multiplicación son bajas; la longevidad alta y dejan menor número de descendientes que los organismos de otras comunidades pero con sistemas de protección mucho más desarrollados.

Debido a sus condiciones de producción los arrecifes son poco aptos para la explotación pesquera. La biomasa se ha estimado en unos 2 g de peso seco de peces aprovechables por m^2 y su renovación es presumiblemente muy lenta. Por otra parte se trata, en su mayoría, de especies poco adaptadas a soportar bruscas oscilaciones de las poblaciones y por ello, muy sensibles a una explotación pesquera intensa. Las artes de pesca convencionales, como las redes de cerco y de arrastre, no se pueden utilizar por los continuos enganches; en cambio pueden usarse las nasas y los palangres.[5] Por el contrario la caza submarina, con tanques de aire comprimido que permiten un prolongado tiempo de inmersión y rifles arponados, constituye un serio riesgo de sobreexplotación.

Sin embargo, la pesca no es el único atractivo económico de los arrecifes. Los corales, por su uso en joyería, las esponjas y otros organismos, son también explotados. En los últimos años se manifestó un creciente interés por las *prostaglandinas*, hormonas de uso en farmacopea que son contenidas por el octocoral *Plexaura homomalla* que solamente vive en el Caribe.[6]

Plexaura es la única fuente natural de estas hormonas que

---

[4] R. Margalef, *Comunidades naturales*, Mayagüez, Puerto Rico, Instituto de Biología Marina, 1962.

[5] Estas artes no son mayormente perjudiciales a la estabilidad del arrecife y se han usado en la pesca artesanal desde hace centurias.

[6] E. Jordán y R. S. Nugent, "Evaluación poblacional de la *Plexaura homomalla* (Esper) en la costa noreste de la península de Yucatán (Octocorallia)", México, *An. Centro Cienc. del Mar y Limn.*, UNAM, 5 (1), 1978.

se utilizan como reguladores metabólicos; para el control de la presión arterial y de la musculatura lisa; en el tratamiento de problemas asmáticos y gástricos (úlceras); como regulador menstrual y anticonceptivo y en el tratamiento de ciertos tipos de cáncer. Su valor comercial llegó en 1975 a 1 800 dólares el gramo (la prostaglandina P_6F_2) y a 3 600 dólares el gramo (la P_6D_2). El rendimiento por ejemplar se ha estimado entre el 2.5 y 5% del peso seco.[7]

Es previsible un impacto cada vez mayor del hombre sobre los arrecifes coralinos, no solamente por el aumento de la pesca artesanal y la caza subacuática, sino principalmente por la acción contaminante de los líquidos residuales. El tipo de circulación que prevalece en los arrecifes coralinos los arrastrará sobre el fondo, de modo que serán particularmente nocivos a un ecosistema caracterizado por su sensibilidad a esos agentes.

Un aumento de los nutrientes en las aguas de la laguna arrecifal puede conducir a una decadencia de las praderas de *Thalassia*, o pasto de las tortugas, y su remplazo por clorofíceas de rápido crecimiento. También es probable que aumente la densidad planctónica y con ello la producción de peces pelágicos, pero ello significará la segura decadencia de los arrecifes de coral.[8]

El ecosistema arrecifal no es poco productivo; sin embargo su producción resulta poco utilizable en la economía humana, tal como se interpreta ésta en términos clásicos. Es por esta razón que la conservación de los arrecifes de coral del Mar de las Antillas resulta imprescindible si se los desea utilizar como fuente indirecta de recursos económicos, esto es, con fines turísticos. El gran apogeo que han tenido las actividades subacuáticas en las últimas décadas se debe al carácter excepcional de las aguas del Caribe (temperaturas elevadas, transparencia, escasa profundidad, moda calma) por lo que resultan un atractivo incomparable en la exploración submarina.

Los estuarios. Ecosistemas de transición
entre el halobios y el limnobios

Un estuario es un cuerpo de agua del litoral marítimo bajo la influencia simultánea de las mareas y la descarga de ríos, arroyos o canales de agua dulce.

[7] E. Jordán (com. pers.).
[8] R. Margalef, *ibid.*, 1962.

De acuerdo con su geomorfología pueden dividirse en *estuarios propiamente dichos* y en *lagunas litorales o ,albuferas*. Los primeros corresponden a las regiones de los ríos que desembocan perpendicularmente en el mar y que reciben la influencia directa de las altas mareas, por ejemplo los ríos Coatzacoalcos (Veracruz, México), de la Plata (Argentina) o Amazonas (Brasil). Las lagunas litorales son entradas o senos del mar que han quedado aisladas por una cadena de dunas costeras de tal modo que las aguas dulces se embalsan en lagunas bajas que reciben influencia de las altas mareas en toda su extensión o en parte de ella, por ejemplo la laguna Madre (Tamaulipas, México), lagoa Dos Patos (R. S., Brasil).

La circunstancia de que, alternativamente, estos cuerpos de agua reciben agua marina y dulce, determina una dinámica muy particular y acelerada, debido, principalmente, a los cambios diarios y estacionales de esos flujos. La penetración de las mareas en los estuarios depende de la altura sobre el nivel del mar y de la pendiente del río o laguna. Por ejemplo en el río de la Plata, la influencia de las mareas se hace sentir por varias decenas de kilómetros aguas arriba, mientras que en el caso de tratarse de ríos en costas escarpadas la influencia puede limitarse a unas decenas de metros. Otro tanto ocurre con el aporte de agua dulce, que depende del régimen de lluvia en la cuenca de drenaje. Las lagunas pueden oscilar desde cuerpos de agua completamente limnéticos a cuerpos de agua completamente marinos.

Otra de las características ecológicas que derivan de este intercambio de aguas es su estratificación de acuerdo con la salinidad. Debido a la diferencia de densidad las aguas dulces se deslizan sobre las capas de agua más salobres de tal modo que éstas penetran como una cuña en el fondo de los estuarios. Es ésta la razón por la cual en una misma estación de pesca se pueden hallar organismos dulceacuícolas en la superficie y marinos en el fondo. Es factible diferenciar así dos tipos de estuarios: *a*) de doble circulación en capas superpuestas, donde la influencia de las mareas es débil; *b*) de circulación celular, donde la influencia de las mareas es notable.

A los dos tipos de estuarios mencionados (de planicie y pleniplanicie costera, y de embalsamiento por una barra de arena), se agrega un tercer tipo, el estuario fiórdico, en donde las aguas de un río desembocan en un valle hundido en el mar.

Teniendo en cuenta el equilibrio derivado del aporte de agua dulce y la influencia de las mareas, cada uno de los tres tipos de estuario puede clasificarse en:

1. *Estuarios positivos*, donde las pérdidas de agua por evaporación son inferiores a los aportes de los ríos o canales;

2. *Estuarios neutros*, en donde el volumen de la evaporación es aproximadamente igual al aporte de los ríos y canales;

3. *Estuarios negativos*, donde las pérdidas de agua por evaporación superan a los aportes de agua dulce.

Algunos cuerpos de aguas litorales pueden cambiar estacionalmente de positivos a negativos, en especial aquellas albuferas que durante parte del año quedan aisladas del mar por la formación de barras de arena que obstruyen su desembocadura en el mar. Puede suceder que se transformen en lagunas de agua dulce, o poco menos, con una fauna absolutamente limnética o estuarial eurihalina.[9] Pero puede ocurrir también que durante la época de sequías se transformen en cuerpos de agua hiperhalinos.

Con el agua de mar ingresan a estos sistemas muchos animales entre los que se destacan camarones, lisas, corvinas, lenguados y otros capaces de soportar salinidades más bajas que la del mar adyacente. Estas migraciones son fundamentalmente tróficas debido a que las lagunas poseen ingentes recursos alimentarios (en especial de origen detrítico). Además, sobre las especies detritívoras indicadas predan algunos carnívoros. Las especies de agua dulce quedan circunscritas a las aguas superficiales y a la desembocadura de arroyos y canales.

Durante las épocas de lluvia las condiciones cambian bruscamente. La influencia relativa del agua dulce es cada vez mayor, aumenta el nivel de las lagunas y se inundan las regiones aledañas, especialmente aquellas ocupadas por el manglar (en las regiones tropicales) y los pantanos salados. El agua dulce trae grandes cantidades de nutrientes, que enriquecen a los sistemas, provenientes de la cuenca de drenaje (áreas de cultivo, bosques, praderas). Para entonces la fauna halófila ha migrado al mar mientras que los peces de agua dulce ocupan la mayor parte de las lagunas. Las actividades pesqueras más rentables se concentrarán entonces en las inmediaciones de la desembocadura y en horas de alta marea (para peces de origen marino estenoicos).[10]

Debe destacarse, finalmente, la significación ecológica de esta dinámica, pues subsiste en la laguna un tercer componente biológico: el eminentemente estuarial, dentro del cual

---

[9] *Eurihalina.* Dícese del organismo que soporta bruscas oscilaciones de la salinidad.

[10] *Estenoicos.* Dícese de los organismos que no se encuentran adaptados como para soportar cambios en los factores ambientales.

se destacan algunas especies factibles de ser cultivadas, como el ostión de varios países del Caribe.

II. EL MEDIO AMBIENTE DE LAS AGUAS CONTINENTALES

Las aguas continentales sólo cubren el 1% de las tierras emergidas. Sin embargo tienen una importancia crucial en la estabilidad de los biomas terrestres y son una importante base de sustentación de la economía. Además de ser sistemas productivos subsidian energéticamente a otros ecosistemas manejados por el hombre. Son fuente de agua potable y de riego, generan energía hidroeléctrica y son vías de comunicación.

Existe una notable variedad de ecosistemas acuáticos continentales. Los más destacados son los grandes lagos y ríos navegables, con sus cuencas hidrográficas, pero hay otros de menor significación física que tienen importancia ecológica. Es el caso del agua acumulada en las vainas foliares envolventes de algunas plantas tropicales. En algunas regiones de Brasil, por ejemplo las larvas de los mosquitos transmisores del paludismo se desarrollan en esos pequeños biotopos. A las aguas naturales se deben agregar las pequeñas represas, canales de riego y grandes embalses que son construidos por el hombre.

A pesar de que a las aguas continentales se les suele designar como "cuerpos de agua dulce" o "dulceacuícolas" la realidad es mucho más compleja. En lagunas excavadas en sedimentos de origen marino o en regiones con alta evaporación, la salinidad de las aguas puede llegar a ser varias veces superior a la del mar. En el otro extremo están los lagos de montaña que reciben agua, prácticamente destilada, procedente de los deshielos.

A los efectos de su estudio limnológico, las aguas continentales se agrupan en:

1. *Sistemas lóticos o de aguas corrientes:* manantiales, arroyos, ríos, canales de riego, etcétera.

2. *Sistemas lénticos o de aguas estancadas:* lagunas de aguas surgentes, lagos, charcos, pantanos, bañados, madrejones, ciénegas, etcétera.

Desde el punto de vista ecológico los ríos son sistemas abiertos por los que fluye constantemente una gran cantidad de energía y de materia. La permanente corriente de agua, en un sentido determinado, arrastra sustancias orgánicas e inorgánicas que tienen muy pocas posibilidades de ser recicladas en el propio ecosistema. De este modo, la vida en los ríos depende del aporte que le hacen ecosistemas vecinos, como áreas de pastoreo o cultivo, selvas o bosques y, fundamentalmente, lagos, lagunas, madrejones y esteros.

Los ríos no tienen un plancton propio. Tanto los organismos del fitoplancton como los del zooplancton tienen su origen en afluentes de aguas lénticas. Sin embargo, en los ríos de muy larga trayectoria, donde el agua tarda muchas semanas en llegar al mar, algunos planctontes pueden reproducirse, sobre todo aquellos que lo hacen por partenogénesis. Otro tanto ocurre en los remansos de los ríos de llanura. De este modo la economía de los ríos depende del valor nutritivo de los materiales alóctonos y en especial, de los sedimentos, que contienen microorganismos animales y vegetales. En los grandes ríos de América del Sur predominan los peces comedores de fango (iliófagos), los detritívoros, los herbívoros (que se alimentan de la vegetación ribereña) y los carnívoros. En las cuencas del Plata, Amazonas y Orinoco, grandes bagres y especies afines (Siluroideos) ocupan la mayor parte de esos nichos ecológicos.

En cambio, en los ríos y arroyos de montaña, donde las aguas proceden de surgencias o de deshielos, la ausencia de plancton es total y los aportes de materia orgánica son tan pobres que no alcanzan para sostener poblaciones de detritívoros. Sobre los fondos pedregosos se desarrolla, en cambio, una fauna relativamente importante en donde predominan las larvas de insectos, algunos moluscos y sanguijuelas. Debido a las limitaciones alimentarias la fauna de peces se halla restringida a los carnívoros (insectívoros y depredadores). En la mayor parte de estos ecosistemas, especialmente a lo largo de la cordillera de los Andes, se han introducido varias especies de trucha y salmón, procedentes del hemisferio norte donde viven en aguas que reúnen las características antes apuntadas.

Históricamente los ríos han sido el resumidero de los centros urbanos, por ejemplo, Buenos Aires y Santiago de Chile. La ciudad de México, que se edificó sobre la cuenca endorreica del lago Texcoco, bombea sus aguas negras al río Pánuco. La polución de origen industrial ha adquirido tal gravedad que muchos de esos ríos han perdido toda su capacidad para degradar los contaminantes.

Los impactos que ocasionan los embalses y represas sobre los ecosistemas lóticos son de consecuencias imprevisibles. Por un lado, obstruyen el paso de peces migratorios que no pueden completar sus ciclos biológicos y, por el otro, al transformar un sistema lótico en léntico, modifican la propia estructura y el funcionamiento del ecosistema. Si bien en principio, en las áreas embalsadas puede aumentar la producción por unidad de superficie, la diversidad de especies se reduce, especialmente en las zonas truncas del río. Puede predecirse la desaparición de numerosas especies que, como en la casi totalidad de los casos conocidos, se extinguirán sin que se sepa el papel ecológico que desempeñaban en el ecosistema.

Una derivación alarmante de la construcción de embalses en regiones tropicales y subtropicales es la difusión de la *esquistosomiasis* o *bilharsiasis*, enfermedad endémica que afecta a unos 200 millones de personas de 71 países de Asia, África y América Latina. La enfermedad es provocada por un Trematode que parasita intestino, riñón, vejiga, hígado o páncreas. En América Latina y el Caribe el vector de la enfermedad es el *Schistosoma mansoni*, que parasita las venas intestinales. La sintomatología de la enfermedad se manifiesta por serias hemorragias intestinales que acarrean anemia y otras afecciones colaterales. Debe esperarse una muerte prematura del paciente. Estos parásitos generan una enorme cantidad de huevos que pasan al intestino y con las heces del paciente, al exterior. En áreas donde no existen servicios sanitarios los huevos pasan a las aguas de charcos o lagunas donde, luego de un período de incubación, dan origen a una larva llamada *miracidio* que nada libremente hasta alojarse en un pequeño caracol donde se enquista para continuar su metamorfosis. De estos quistes emerge otra larva llamada *cercaria*, que también nada libremente, hasta que encuentra a su hospedador definitivo: un ser humano que se baña en la laguna o represa, o que simplemente está pescando o lavando con los pies descalzos en el agua. Las cercarias perforan la piel de los individuos e ingresan al torrente circulatorio, que es el encargado de llevarlas hasta el intestino, después de pasar por los órganos vitales del cuerpo. Allí alcanzan su madurez sexual y el ciclo se reinicia (figura 13).

La construcción de embalses y represas en regiones potencialmente expuestas a la enfermedad han desencadenado verdaderas epidemias de esquistosomiasis, afectando a millones de personas. Tal es el caso de la represa de Aswan (Egipto) y la del río Volta (Alto Volta) porque los caracoles, que actúan como transmisores del parásito, se hallan adaptados a vivir en aguas estancadas tropicales y subtropicales.

En América Latina y el Caribe la esquistosomiasis es endémica en el centro sur y noreste del Brasil, Venezuela, Surinán, Guyana, Antillas Menores, Puerto Rico y, muy proba-

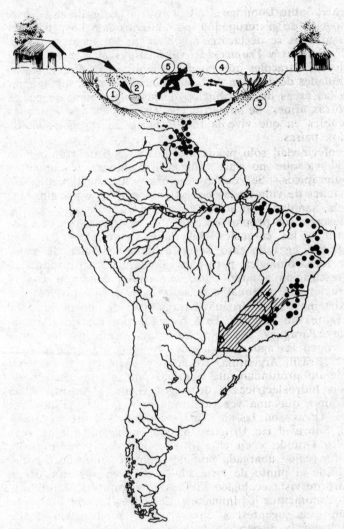

FIGURA 13
La esquistosomiasis y su probable dispersión en América del
Sur. Los círculos negros indican las regiones donde la enfermedad
es endémica; los círculos blancos las represas proyectadas o
construidas en el sistema fluvial Paraná-Uruguay-Plata. En la
parte superior el ciclo biológico del parásito: 1 = huevos dise-
minados conjuntamente con excrementos de personas parasita-
das; 2 = larva miracidio; 3 = caracol que actúa como hospedador intermediario; 4 = larva cercaria; 5 = hospedador definitivo.

blemente, Santo Domingo, Haití y otras islas antillanas. Entre las especies de gasterópodos que actúan como hospedadores intermediarios se destacan *Planorbis guadeloupensis*, *Australorbis olivaceus* y *Tropicorbis continentalis*. Al ser varias las especies de caracoles que pueden recibir a los miracidios las posibilidades de difusión de la enfermedad son mayores, abarcando las áreas de distribución de las mencionadas especies y de otras afines. Se suman a ello las condiciones sanitarias deplorables en que vive la mayor parte de la población de aquellos países.

La enfermedad sólo puede erradicarse con un tratamiento integral ya que no vale aplicar únicamente tratamientos quimioterápicos. Se deben mejorar sustancialmente las condiciones de vida de las poblaciones rurales y marginadas: vivienda, sanidad, educación, y evitar el uso de aguas contaminadas por sus propios excrementos. Es necesario, además, combatir a los caracoles con métodos químicos. Lo más aconsejable, en todo caso, sería la implementación de métodos de lucha biológica, pero para ello se necesitan programas de investigación a largo plazo que deben comenzar con la preparación de personal especializado a varios niveles.

El sistema fluvial Uruguay-Paraná-Plata es uno de los más importantes de América. Está formado por los ríos Paraná, Uruguay, Paraguay, Bermejo, Pilcomayo y muchísimos otros que recogen las aguas de grandes regiones de cinco países: Bolivia, Brasil, Argentina, Uruguay y Paraguay. El sistema está siendo profundamente alterado por la construcción de represas hidroeléctricas y de riego (figura 13). Entre ellas está Itaipú, que una vez finalizada será la más grande del mundo. Otras son las de Yaciretá-Apipé, Corpus y Paraná Medio. Sobre el río Uruguay ha sido construida la represa de Salto Grande y en el alto Bermejo varias represas de riego. La región abarcada por el sistema es muy poco conocida desde el punto de vista biológico y, menos aún, desde el punto de vista ecológico. Es bastante improbable predecir en estos momentos los impactos que sobre el medio ambiente tendrán esas gigantescas obras, por ejemplo hasta dónde puede llegar la dispersión de la esquistosomiasis. Nunca se sabrá tampoco cuáles y cuántas especies se habrán extinguido una vez concluidas las obras y, mucho menos, el papel ecológico que esas mismas especies cumplían en los ecosistemas. Podría suceder que los controles naturales de la enfermedad citada fueran rotos por los cambios ecológicos sin llegar a saber que, realmente, estaban actuando.

Estos argumentos no invalidan la enorme trascendencia que dichas obras tendrán sobre la economía regional. Pero ellas ponen de manifiesto, una vez más, la negligencia culposa de los responsables de la educación, la ciencia y la tecnología en casi todos los países del área, que no han sabido, o no han querido, promover el desarrollo de investigaciones básicas en las áreas de las ciencias naturales y sociales. Menos aún se han preocupado por la formación de recursos humanos, técnicos y científicos capacitados para afrontar la magnitud de esos nuevos problemas. A veces se apela a "soluciones" de emergencia. Para cubrir las formas se contratan consultoras, muchas veces transnacionales, que se limitan a la confección de reportes burocráticos, sobre la base de datos dispersos. La implementación de la formación de recursos humanos y de investigaciones básicas sigue siendo postergada, o cuando se realiza, lo es más por el esfuerzo abnegado de algunos científicos que por el interés oficial.

Pertenecen a la serie léntica cuerpos de agua de distinta naturaleza que tienen en común límites bien definidos, estructura simple y funcionamiento fácilmente comprensible. Dos modelos se destacan con nitidez: el lago y la laguna, como se observa en el cuadro núm. I:

CUADRO I

DIFERENCIAS MÁS NOTABLES ENTRE LAGO Y LAGUNA

	Lago	*Laguna*
Cuenca	Profunda (puede llegar a más de 1 000 m)	Somera (entre 1 y 10 m de profundidad)
Perfil batimétrico	Abrupto con talud	Plano sin talud
Fondo profundo	Afótico (sin luz)	Fótico (iluminado)
Estratificación térmica	Muy marcada; con termoclina en verano	Ocasional; sin termoclina
Vegetación acuática	Únicamente costera	A lo largo de todo el perfil
Materia orgánica en las aguas	Escasa	Muy abundante
Producción biológica	Muy baja; por lo general oligotróficos	Muy alta; por lo general eutróficos.

Las lagunas pueden evolucionar rápidamente hacia sistemas *distróficos*, donde la producción decae como consecuencia de la excesiva cantidad de materia orgánica autóctona y alóctona. Si los desechos urbanos se vuelcan sobre ambientes naturales eutróficos, las consecuencias llegan a ser catastróficas. En cambio, si se utiliza un lago oligotrófico, en una primera etapa podrá esperarse un aumento de la productividad, por la mayor reserva de nutrientes, pero si el acarreo de materiales supera ciertos límites, lo más probable es que el lago se pierda por distrofia. Este proceso, que es bastante frecuente, suele generar serios problemas sanitarios, como son la pérdida de fuentes de aprovechamiento de agua potable y la proliferación de miasmas.

La construcción de estanques artificiales (profundización y mejoramiento de zonas inundables, derivación y endicamiento de cursos de agua), contribuye a la estabilización de zonas rurales y al mejoramiento ambiental (riego, forestación). Bien administradas pueden transformarse en centros de producción de alimentos y de ciertas materias primas.[11] La *acuacultura* y, más específicamente, la *piscicultura* son actividades que cada día adquieren mayor relevancia en los países subdesarrollados. La crianza simultánea de animales que ocupan diferentes niveles tróficos o que no compiten por el alimento, permite la obtención de cosechas muy elevadas por unidad de superficie. En estos sistemas de acuacultura integral pueden convivir animales tales como peces planctívoros, herbívoros, ranas insectívoras y nutrias herbívoras. En estanques tropicales la producción anual puede alcanzar entre 8 y 10 ton de peces por hectárea.

Existen además otros cuerpos de agua estancada que tienen gran importancia. Son los bañados, ciénagas, esteros y madrejones, cuya separación se puede establecer a partir de diferencias geográficas. El *bañado* es característico de regiones templadas con precipitaciones pluviales regulares; la *ciénaga* es muy semejante pero de clima tropical; el *estero*, que es también tropical, se diferencia de la anterior porque pasa una época del año totalmente seco; y los madrejones, también de carácter temporal, son lagunas de desborde de los ríos. Estos ambientes son el refugio preferido de una fauna extremadamente rica en aves y mamíferos acuáticos y palustres. Son, por lo general, parques naturales de gran importancia estética y científica.

[11] S. R. Olivier, "Sequías, inundaciones y aprovechamiento de las lagunas bonaerenses. Con especial referencia al futuro de la piscicultura", en revista *Agro* núm. 2, La Plata, Argentina, 1959.

Los cuerpos de agua estancada son cuencas muy someras en avanzado estado de eutroficación con tendencia a la distrofia. La productividad primaria se concentra en las fanerógamas palustres del tipo de los juncos, las totoras y otras malezas hidrófitas. El plancton prácticamente no existe y la microfauna, que es muy abundante, está ligada a la vegetación. Son por lo general criaderos de mosquitos y otras alimañas. Entre ellos se encuentran las larvas del mosquito transmisor del paludismo, *Anopheles* spp., una de las enfermedades endémicas muy graves en muchas regiones del trópico. Es ésta la razón principal del saneamiento ambiental por canalización y desagüe o desecamiento, la aplicación masiva de herbicidas y de insecticidas, etc. Si estas políticas sanitarias no se evalúan debidamente pueden traer serias consecuencias para ecosistemas vecinos. Un drenaje exagerado, por ejemplo, puede afectar los acuíferos freáticos que surten de agua potable a poblaciones vecinas; el desecamiento total puede acarrear cambios microclimáticos que afectan la producción agraria; el uso masivo de insecticidas puede contaminar ecosistemas colindantes; los herbicidas pueden destruir plantíos útiles, etc. Una de las alternativas ecológicas más valederas en la lucha contra las plagas o vectores de enfermedades, son los controles naturales (depredadores, parásitos, hibridación, etcétera). Pero su aplicación requiere largos y pacientes estudios sobre los ciclos biológicos, comportamiento, etcétera, de los organismos involucrados.

Los ambientes citados sostienen una producción animal silvestre que, en la generalidad de los casos, no ha sido evaluada convenientemente: roedores de piel (nutria), aves de plumaje (garzas), anfibios comestibles (ranas), reptiles de piel y carne (caimanes y cocodrilos), mamíferos comestibles (capibara o carpincho) y poblaciones de peces que suelen quedar atrapadas en los madrejones después de las inundaciones. En América Latina y el Caribe se tienen experiencias de gran trascendencia en el aprovechamiento de estos recursos. En la Ciénaga de Zapata (Cuba) existe un criadero de caimanes y cocodrilos que tiene una población controlada de unos 30 000 animales. En 1959 esas especies estaban prácticamente extinguidas en la región. Se inició entonces la protección e incubación de los huevos de algunos reproductores con mucho éxito.

En las islas de Gran Caimán hay criaderos de cocodrilos y tortugas, y en los llanos venezolanos se crían en semicautividad grandes manadas de capibaras que son administradas comercialmente.

III. EL MEDIO AMBIENTE TERRESTRE

Los límites entre los ecosistemas terrestres son difíciles de definir. Por lo general existen áreas de transición (ecotonos) con la suficiente amplitud como para que los límites queden enmascarados. Las variaciones fisiográficas, los climas y microclimas, la latitud y la altitud, las precipitaciones pluviales y la humedad ambiente, generan un mosaico de situaciones que determinan comunidades en diferentes estados de evolución y, muchas veces, con semejanzas aparentes que complican su identificación. Debido a que se desea proponer una síntesis del marco ambiental de América Latina y el Caribe parece más adecuado referirse a los *biomas*, es decir a las grandes unidades de la vegetación y el ambiente, fácilmente reconocibles. Los ecólogos vegetales clasifican esas grandes unidades de acuerdo con diferentes criterios, prevaleciendo la consideración de los factores climáticos y geográficos: temperaturas, precipitaciones, latitud y altitud. En América Latina y el Caribe los biomas más importantes son (figuras 14 y 15) el desierto, el pastizal, el bosque y la selva tropical, en cada uno de los cuales pueden hacerse subdivisiones de acuerdo con sus características geográficas y biológicas.

A continuación vamos a detallar los biomas antes mencionados:

Bioma del desierto

La escasez o falta casi total de agua es el factor ecológico más importante en los desiertos. En los esporádicos días de lluvia el bioma reverdece convirtiéndose, de la noche a la mañana, en una alfombra de flores. Las plantas que se comportan de este modo (mesófitas) poseen órganos de resistencia (estolones, raíces, semillas) que permanecen en estado de vida latente hasta la llegada de las lluvias.

Varios tipos de desierto pueden diferenciarse utilizando un criterio climático.[12]

1. *Desiertos subtropicales.* El calentamiento desigual y mayor de la atmósfera en el Ecuador provoca el ascenso de masas de aire caliente. Se generan centros de bajas presiones y el aire, al enfriarse adiabáticamente, desciende sobre las regiones subtropicales como aire seco y ávido de humedad,

[12] J. L. Cloudsley-Thompson, *El hombre y la biología de zonas áridas*, Barcelona, Blume, 1979.

resultado de la compresión. Las lluvias son allí muy escasas originándose zonas de gran aridez, a una latitud próxima a los 30ª norte y sur. Los desiertos de Chihuahua y Sonora (México), la caatinga del noreste del Brasil y el espinar del Caribe son el resultado de este fenómeno climático.

2. *Desiertos costeros.* Son también de regiones subtropicales. Su origen obedece al descenso de aire seco, tal como hemos visto, y a corrientes oceánicas frías. Las costas del desierto de Baja California (México) son afectadas por la corriente fría de California, y las del de Atacama (Chile-Perú) por la de Humboldt.

3. *Desiertos de génesis orográfica.* Se generan donde una cadena de montañas obstruye el paso de los vientos húmedos procedentes del mar haciendo que se eleven, condensen el vapor de agua y precipiten. En el sur de Chile los vientos húmedos del Pacífico encuentran las altas cumbres de la cordillera de los Andes. Ésta es una de las regiones más lluviosas del mundo; sin embargo, en el lado oriental de la cordillera, en la Patagonia argentina, se extiende una enorme estepa semiárida barrida por vientos secos que descargaron su humedad kilómetros antes.

Las precipitaciones en las zonas desérticas pueden llegar a superar los 250 mm anuales pero las lluvias no son regulares. Existen sitios desérticos donde suelen pasar 15 o 20 años sin llover (desierto de Atacama, en el norte de Chile). Sin embargo, en ciertos desiertos costeros la condensación nocturna de la humedad oceánica tiene una gran significación ecológica, ya que muchas plantas son capaces de absorberla. En los desiertos subtropicales la evaporación es superior a las precipitaciones.

Durante el verano, en las horas de mayor insolación, la temperatura del suelo puede llegar a 80°C.[13] Por la noche, en esas mismas regiones, el termómetro suele descender a menos de 0°C.

En los desiertos viven varios grupos de organismos con adaptaciones morfológicas y fisiológicas convergentes. En las plantas del desierto se destacan entre los mecanismos fisiológicos más frecuentes, la acumulación de agua en los tejidos; la reducción de la transpiración por pérdida o transformación de las hojas; y el desarrollo de un sistema radicular muy grande. Debido a la ausencia o reducción del follaje, la clorofila se concentra en los tallos, que cumplen así con la fotosíntesis.

Los tejidos de las plantas suculentas son los que mejor se

[13] J. L. Cloudsley-Thompson, *ibid.*, 1979.

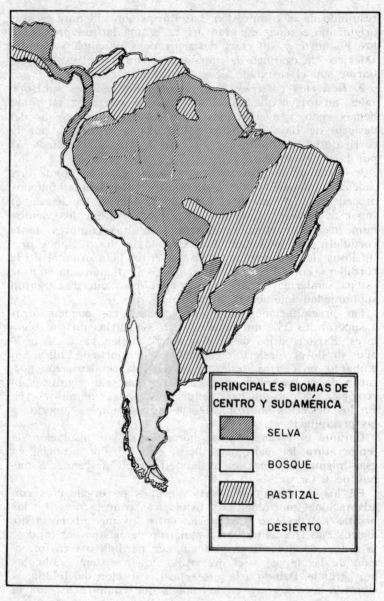

FIGURA 14
Distribución aproximada de los biomas más importantes de
América del Sur y el sur de América Central (recopilado por varios
autores).

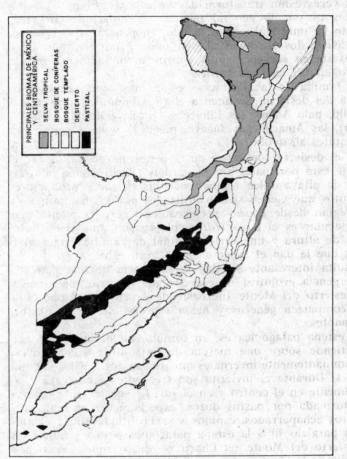

FIGURA 15
Distribución aproximada de los biomas más importantes de México y el norte de América Central (sobre la base del mapa esquemático de la vegetación de México de J. Rzedowski, Ed. Limusa [1978], México).

han adaptado para retener agua adquiriendo una consistencia gelatinosa que reduce la transpiración. El sistema radicular ayuda a la captación de la menor cantidad de humedad disponible, incluyendo la de la condensación nocturna. Las hojas, cuando existen, son pequeñas y de consistencia coriácea; otras veces están transformadas en espinas. El porte de las plantas es por lo general pequeño, achaparrado. El crecimiento es muy lento coincidiendo, en general, con la época de lluvias (los cardones crecen unos 2 cm por año). Los frutos suelen ser suculentos y brindan un alimento que es básico en las cadenas tróficas.

La familia de las Cactáceas es la más representativa del bioma del desierto. Se unen a ella las Fouquieiraceas (cirio, ocotillo, palo Adán), las Liliáceas (yucas: palmita, dátil, datilillo), las Amariláceas (agave, maguey) y las Leguminosas (mezquite, algarrobo).

En el desierto sonorense de la península de California, el paisaje está dominado por el cardón (*Pachycereus pringlei*) y por la pitaya dulce (*Lemaireocereus thurbei*), productores de frutos que vienen siendo utilizados por los habitantes de esa región desde épocas prehispánicas. Pero la planta más espectacular es el cirio (*Idria columnaris*), que tiene hasta 20 m de altura y una serie terminal de ramificaciones alargadas que le dan el aspecto de un gran cáliz.

Resulta interesante señalar la existencia de una marcada convergencia evolutiva de especies del desierto sonorense y del desierto del Monte (noroeste de Argentina). Ambos biomas comparten géneros y hasta especies de varias plantas dominantes.[14]

La estepa patagónica es, en cambio, un desierto frío que se extiende sobre una meseta de baja altitud, con lluvias predominantemente invernales que oscilan entre 300 y 500 mm anuales. Durante el invierno son frecuentes las nevadas, especialmente en el centro y en el sur. La vegetación esteparia está formada por pastos duros, especialmente gramíneas, y arbustos achaparrados, espinosos y xerofíticos. Hacia el norte del paralelo 40°S la estepa patagónica pasa en transición al desierto del Monte (el Chaco xerofítico) que se extiende más allá de la frontera argentina hasta Bolivia y Paraguay.

Algunos ríos importantes, como el Colorado, el Negro y el Chubut, originados por las precipitaciones cordilleranas atraviesan la meseta hacia el Atlántico. Su endicamiento y ca-

[14] Ch. Lowe, J. Morello, G. Goldstein, J. Cross y R. Neuman, "Análisis comparativo de la vegetación de los desiertos subtropicales de Norte y Sud América (Monte-Sonora)", en *Ecología*, Buenos Aires, Asoc. Arg. Ecol., 1 (1), 1973.

nalización, especialmente en el valle del río Negro, ha generado una de las áreas más productivas de Argentina en frutas, legumbres y cereales. Es evidente que el factor limitante más importante de la productividad patagónica no es el suelo sino la escasez de agua. Hacia el sur y el oeste otro factor limitante son las bajas temperaturas reinantes durante la mayor parte del año.

Los pastizales, que crecen entre las matas de arbustos, han servido para el desarrollo de una ganadería ovina extensiva en una región donde la capacidad de carga no es mayor que una oveja por hectárea. El sobrepastoreo, en una región donde los vientos de 100 km/h son muy frecuentes, genera una rápida erosión de los suelos.

La fauna del bioma del desierto varía en relación directa con la rigurosidad del clima. Los herbívoros son escasos destacándose en cambio, en los desiertos tropicales, los insectos coleópteros y dípteros que son alimento de iguanas, lagartijas y pájaros. En Baja California el pájaro carpintero construye sus nidos en los cardones y, entre los mamíferos, predominan ratones de campo, topos y ardillas, cuyo depredador principal es el coyote.

En el desierto patagónico, a diferencia del sonorense, existen algunos herbívoros autóctonos importantes, como son el guanaco, la mara o liebre patagónica, el ñandú petiso y las perdices copetonas. Sobre estos animales depredan los zorros, las comadrejas, el puma y el jaguar, estos dos últimos muy perseguidos y diezmados por el hombre. En el desierto del Monte se incorporan al bioma otros animales de origen tropical como el armadillo gigante o el tatú carreta, lobo de crin, las vizcachas y el oso hormiguero. Esta fauna se halla en franco retroceso ante el avance de la ganadería y por el manejo deficiente que se hace de los recursos.

A pesar de su pobreza, las plantas y los animales del desierto brindan al hombre importantes recursos naturales. Además de los frutos de las cactáceas, a los cuales se ha hecho referencia, están los tejidos suculentos que concentran agua para uso del hombre y los animales. En algunas regiones el tallo de los cardones es despojado de sus espinas por medio del fuego para que el ganado pueda comerlo en épocas de extrema sequía. El nopal o tuna (*Opuntia* sp), se cultiva extensamente en México. Se lo utiliza como materia prima en farmacología; los tallos tiernos y los frutos (higos de tuna) sin espinas se venden en los tianguis de la región central del país y en los supermercados de la capital. Los tallos se utilizan ampliamente en comidas frescas o preparadas y los frutos suelen acompañar a ciertos licores.

Otras plantas del desierto sirven para la preparación de bebidas, aceites, ceras, fibras o medicamentos. México es un país con una larga tradición en la utilización de sus plantas xerófilas. Las bebidas alcohólicas más populares del país: el pulque, el tequila y el mezcal se obtienen a partir del aguamiel que se recoge en una cuba excavada en medio de las hojas (debe extirparse el ápice) del *Agave tequilana* y del *A. atrovirens*. El henequén o hilo sisal se fabrica con las fibras naturales que se sacan del *Agave sisalona* y el *A. fourcroydes*. En la península de Yucatán el henequén llegó a constituir una importante industria pero hoy está en crisis por la competencia de las fibras sintéticas.

En el desierto de Baja California crecen otras plantas que son utilizadas como fármacos. Entre ellas la *Efedra californica*, conocida como té del desierto o cañatillo, se utiliza para hacer una infusión que, se dice, sirve como sedante, tónico hepático, tratamiento de la sífilis, purificador de la sangre, tónico antigripal, desórdenes estomacales y úlceras.[15] También en esta región una pequeña planta, la *Turnera diffusa*, conocida vulgarmente como damiana, es utilizada en la fabricación de un suave licor y su infusión tiene reputación de afrodisiaco.

En el noroeste de Argentina las vainas del algarrobo (*Prosopis*) forman parte de la dieta humana y de animales domésticos, y la creosota, que se obtiene de la jarilla (*Larrea divaricata*) es un potente antioxidante que se agrega a los aceites y grasas industriales.

Una planta que vive naturalmente en el desierto sonorense, la jojoba (*Simmondsia chinensis*) de la familia de las Buxaceas, está siendo activamente investigada. Se han hecho algunos cultivos experimentales debido a que sus frutos (una cápsula ovoide y trilocular) contienen una cera de la que se extrae un posible substituto del aceite de esperma de ballena gris, una especie que está en franco retroceso. El uso potencial de esos aceites está asociado a la fabricación de detergentes, barnices, cosméticos, jabones, lubricantes, cremas y perfumes. Se ha estimado que la producción anual de aceites de la población natural de jojoba en el desierto sonorense mexicano puede llegar a 90 ton anuales.[16] El bagazo puede ser tostado y de su infusión se obtiene un susti-

[15] J. Coyle y N. C. Roberto, *A field guide to the common and interesting plants of Baja California*, La Jolla, California, Nat. Hist. Publ. Co., 1975.

[16] H. Geomans Reyna *et al.*, *Alternativas de utilización de la flora del desierto sonorense*, III Simposio Binacional del Medio Amb., Golfo de California, La Paz, México, 1978.

tuto del café. Además las semillas molidas se pueden utilizar en la fabricación de galletas y otros alimentos muy nutritivos.

La lista de los recursos naturales renovables del bioma del desierto es muy larga y los ejemplos dados señalan que bien administrados, pueden brindar trabajo y comida a millones de personas. Sin embargo, en las regiones áridas y semiáridas de América Latina es donde existen los mayores latifundios (estancias o haciendas de un millón de hectáreas en la Patagonia), cuya característica principal no es precisamente la del uso racional de los recursos.

Contrastando con el desierto en las regiones áridas al pie de la cordillera de los Andes, en Chile, Argentina, Perú y Ecuador existen verdaderos oasis productivos que utilizan el agua de los deshielos de las altas cumbres. Mendoza y San Juan (Argentina), Piura y Trujillo (Perú), son algunos ejemplos del aprovechamiento integral del desierto, donde se cultivan frutales (vid, cerezos, duraznos), caña de azúcar, algodón y arroz.

Bioma del pastizal

Los pastizales son el resultado de precipitaciones pluviales mayores que las de los desiertos, favorecidos además por un relieve que permite a los suelos retener humedad por tiempos prolongados.

De acuerdo con la periodicidad de las lluvias pueden diferenciarse dos formaciones principales:

1. *Praderas herbáceas*, en donde las precipitaciones medias anuales oscilan entre 800 y 1 000 mm sin que exista una manifiesta estación seca. Son ejemplos la pampa húmeda de Argentina, Uruguay y sur de Brasil.

2. *Sabana tropical*, en donde las precipitaciones se concentran en el verano, alcanzan los 1 500 mm. El pastizal se halla interrumpido por matas de plantas leñosas que crecen en los lugares que retienen cierta humedad durante todo el año y en las márgenes de los ríos. Son sabanas tropicales los llanos de Venezuela; la costa oeste-central de México hasta Centroamérica; la mayor parte de Cuba y otras islas del Caribe; la planicie atlántica colombiana y la región centro occidental de Brasil (*cerrados*).

En todos los casos predominan suelos que se han originado en largos procesos erosivos y erupciones volcánicas que han dado como resultado gruesos estratos sedimentarios que se encuentran cubiertos por una capa de humus vegetal que determina su mayor o menor fertilidad.

La fisonomía del pastizal está dada por las plantas herbáceas que han prevalecido en su competencia con las leñosas. Ese predominio es el resultado de adaptaciones morfológicas y fisiológicas de sus respectivos sistemas radiculares. Mientras que los pastos poseen raíces muy desarrolladas y superficiales, los árboles y arbustos las tienen largas y muy profundas. Las hierbas absorben las mínimas cantidades de humedad disponible y de ese modo son menos vulnerables a las sequías. Aun en la pampa húmeda pueden pasar largos períodos (1 o 2 años) sin lluvias copiosas. Durante esas épocas los pastos perduran por formas de resistencia como semillas (de rápida germinación cuando se restablece la humedad del suelo) o raíces que viven en estado latente. La rapidez de los ciclos vegetativos hace que la capa de humus acumulada sea mayor que la que se genera en los bosques. Además, los pastos son por lo general estacionales de tal modo que existe un remplazo entre las especies estivales y las invernales.

La importancia ecológica y económica de este proceso es obvia. Los nutrientes se reciclan con gran celeridad y permanecen la mayor parte del tiempo en el suelo. Este hecho natural es el que ha permitido el desarrollo de la agricultura y la ganadería en las praderas y sabanas. Debe recordarse que cereales tan importantes como el trigo y el maíz no son más que pastos cultivados y que el éxito de la introducción del ganado vacuno en América se debe a la excelencia de sus pastos.

Las gramíneas, hierbas que dominan el bioma, son de porte muy variable. Tienen forma de matas de más de un metro de altura y de plantas rastreras estoloníferas que forman una carpeta sobre los suelos. Los pastizales llegan a cubrir la superficie del terreno de tal manera que, según algunos ecólogos, la intrincada red de raíces ha sido el impedimento mayor que han tenido los árboles para colonizar las pampas.

La sabana venezolana ocupa los llanos orientales del país, desde las estribaciones cordilleranas, hasta la cuenca del río Orinoco y del río Guaviare, éste en Colombia. Los pastos altos cubren tan sólo el 70% de la superficie de la sabana y el resto está poblado por matas de árboles y arbustos caducifolios y palmas moriches. Cuando arrecian las lluvias, los ríos desbordan y los bajos se transforman en lagunas y pantanos, donde vive una rica fauna acuática y palustre que tiene grandes similitudes con la que habita las lagunas y bañados de la pampa: patos, flamencos, espátulas, garzas, cisnes, cigüeñas, gallito de agua, entre muchos otros. La fauna superior de los llanos es también semejante a la de la pampa: puma, jaguar, armadillos. No ocurre lo mismo con la fauna arborícora que se halla muy ligada a la que es propia de los bosques y selvas tropicales. Sin embargo, algunas especies descienden por los bosques en galerías de las riberas del río Paraná y del Uruguay, que cruzan las llanuras sureñas.

Bioma del bosque

La fisionomía del bosque varía notablemente en relación con los factores climáticos. A diferencia de lo que ocurre en los pastizales, las plantas leñosas son las que han prevalecido sobre las herbáceas. La diversidad específica es baja; a menudo, un par de especies dominan el bioma. Faltan casi totalmente las plantas enredaderas (lianas) y las epífitas (orquídeas y bromeliáceas) que caracterizan la selva. En condiciones ecológicas favorables el bosque puede alcanzar 20-30 m de altura, diferenciándose en ellos varios pisos ecológicos.

Los tipos de bosques más importantes son:

1. *Bosque tropical.* Es el bioma de regiones tropicales con un largo período de sequía (invernal). Durante el verano las precipitaciones pueden llegar a 1 500 mm. Los árboles pierden sus hojas como una respuesta a la sequía, pudiendo prolongarse esta situación hasta 3 y 6 meses. Sin embargo esas mismas plantas, en áreas donde perdura la humedad, pueden retener su follaje durante la mayor parte del año.

El bosque tropical ocupa grandes extensiones en América Latina y el Caribe y es una forma de transición hacia la selva tropical húmeda.

Sobre las costas anegadizas del litoral marítimo de regiones tropicales de América Latina y el Caribe (también en Asia y África), crece un bosque de características peculiares: el manglar. No se trata de una comunidad clímax pero reviste una gran importancia económica.

Los manglares se extienden por la costa atlántica desde el sur de Brasil (São Paulo) hasta el golfo de México (península de Florida), incluyendo las islas del mar Caribe. Sobre las costas del océano Pacífico se distribuyen desde la región de Tumbes, al norte de Perú, hasta las costas del golfo y de la península de California.

La composición florística del manglar varía de acuerdo con las regiones, pero las especies más difundidas son tres: el mangle rojo (*Rizophora mangle*), el mangle negro (*Avicennia nitida*) y el mangle blanco (*Laguncularia racemo-*

sa). En la plenitud de su desarrollo y en regiones muy favorables para su crecimiento, las copas de los árboles pueden situarse a más de 20 m de altura como ocurre en el estado de Oaxaca (México).

Los manglares ocupan de preferencia las márgenes de las regiones estuariales pero, en zonas secas sin cursos de agua permanentes (por ejemplo en la península de California), el manglar se implanta en los fondos bajos de caletas y pequeñas bahías. La intrincada trama de raíces aéreas facilita la sedimentación de arcilla y arena muy fina que llegan arrastradas por los cursos de agua o el viento. Con los restos orgánicos del propio bosque o de ecosistemas vecinos se forma un fango floculento de considerable espesor en el que predominan condiciones anaeróbicas que impiden el desarrollo de otra vegetación.

Si bien la fauna superior ligada al manglar es pobre son muy abundantes los animales acuáticos y las aves palustres que encuentran seguro refugio en él. Entre los herbívoros, que se alimentan de los brotes tiernos, Hernández Camacho [17] cita al mono aullador, a la zorra manglera y las iguanas. A tal punto estas últimas viven ligadas al manglar que en el norte de Colombia a la *Avicennia germinans* se le llama vulgarmente mangle iguanero. Son también habitantes del manglar colombiano algunos grandes vertebrados acuáticos como los vegetarianos manatíes y los caimanes.

2. *Bosque templado cálido.* En regiones de clima relativamente frío pero de inviernos cortos, donde las precipitaciones oscilan entre 500 y 1 500 mm, prospera un bosque caducifolio. La caída de las hojas es una respuesta fisiológica del árbol a las sequías y a las bajas temperaturas.

Es posible diferenciar en los bosques templados tres niveles o pisos: la copa de los árboles, un estrato intermedio de plantas arbustivas y el sotobosque donde predominan las plantas herbáceas.

Este tipo de bosque suele formar cinturas en las márgenes de la selva tropical húmeda y domina en las colinas bajas de muchas islas del Caribe, con predominancia de pinos y encinos.

3. *Bosque templado-frío.* En los faldeos andinos del sur de Chile y Argentina existe un bosque perennifolio de *Notophagus* (lengas y cohiues) que recibe copiosas precipitaciones de los vientos húmedos procedentes del Pacífico sur que se condensan en las altas montañas. Las lluvias alcanzan a más

---

[17] J. Hernández Camacho, *Introducción a la problemática de la conservación y manejo de los manglares en Colombia*, Bogotá. INDERENA, 1976.

de 2 000 mm anuales pero en Laguna Frías (Argentina), llegan a 6 000 mm. Los árboles forman una densa copa que permite el paso de muy poca luz por lo que en el sotobosque se desarrolla una flora compuesta de grandes helechos, musgos y otras plantas hidrófilas. Como ocurre en la selva tropical húmeda, una gran parte de los nutrientes se acumula en la biomasa vegetal por lo que una eventual explotación del bosque determina un rápido empobrecimiento de los suelos.

4. *Bosque de coníferas.* Ocupa regiones altas y frías de los faldeos cordilleranos. Las lluvias oscilan entre 250 y 500 mm y las nevadas son frecuentes, coincidiendo con la época de sequía. Es manifiesta la baja diversidad específica (una o dos especies). Los pinos y abetos poseen una frondosa copa que limita la penetración de la luz y con ello el desarrollo de otras plantas. También tiene una gran importancia en la competencia la eficiencia con que las coníferas hacen uso del nitrógeno del suelo, que limita las posibilidades de su uso por otros vegetales. Estas son las razones por las cuales en los bosques de coníferas no existe una estratificación manifiesta.

Extensos bosques de coníferas ocupan las laderas de la Sierra Madre Oriental y la Sierra Madre Occidental en el centro-sur de México, extendiéndose hasta el norte de Nicaragua.

Bioma de la selva tropical

Las características más importantes del bioma selvático son la alta diversidad específica y la gran variedad de adaptaciones. Es el bioma más diversificado del planeta y la cantidad de organismos que conviven en áreas relativamente reducidas, es realmente notable. Entre 100 y 500 especies de plantas, más de 450 especies de aves y miles de especies de insectos han sido computadas en zonas restringidas de la selva amazónica. Tal variedad es sólo posible en un ambiente que no sufre bruscas perturbaciones climáticas: las lluvias son regulares (no menos de 2 000 mm al año) y las temperaturas medias oscilan durante todo el año alrededor de 25°C.

La dominancia de los árboles es absoluta. Forman con sus copas un continuo dosel a unos 40-50 m del suelo. Por la espesura del follaje la penetración de la luz se reduce notablemente y a la superficie del suelo llega tan sólo entre 0.1 y 1.0% de la luz que reciben las copas de los árboles. La penumbra y la alta humedad ambiente permiten el desarrollo de un sotobosque formado por hongos, algas, líquenes, musgos, hepáticas y helechos, y muchas otras plantas fotófobas e hidrófilas.

Las dos principales regiones ocupadas por el bioma de la selva en América Latina son las cuencas de los ríos Amazonas y Orinoco, y las tierras bajas del litoral caribeño de América Central. La selva amazónica cubre más de 2.5 millones de km^2 y está poblada por más de 4 000 especies de árboles. En un solo árbol se han llegado a identificar más de 80 especies de plantas parásitas y epífitas, entre las que predominan las orquídeas y las bromeliáceas.

No menos diversificada es la fauna de invertebrados y de vertebrados, predominando las especies arborícolas más bien que las terrícolas. La fauna y la flora acuáticas son asimismo muy variadas. Los animales son trepadores o buenos nadadores para poder sobrevivir a las frecuentes inundaciones. Los anfibios, reptiles, aves y mamíferos poseen adaptaciones convergentes que les permiten trepar, caminar y correr sobre los árboles: colas prensiles, dedos opuestos, uñas muy desarrolladas, visión binocular, etc. Los perezosos, los monos arañas, el oso hormiguero, el puercoespín de cola prensil, el tití o mono cabeza de algodón, son representantes de esa fauna arborícola. Las aves que han perdido o disminuido su capacidad de volar son predominantemente frugívoras (tucanes, loros, guacamayas), libadoras de flores (colibríes) e insectívoras (la mayor parte de los pájaros).

A pesar de esa exuberancia los suelos de las selvas tropicales son muy pobres en nutrientes. La mayor parte de las sales nutritivas se encuentran retenidas por el enorme follaje. Debido a que los árboles son perennifolios y de períodos vegetativos muy largos, los ciclos biogeoquímicos también lo son por lo que los nutrientes regresan lentamente a los suelos. He aquí la razón ecológica del grave peligro que encierra la tala-quema-siembra en el bioma selvático. La extracción de madera, o su quemazón, sustrae nutrientes a suelos pobres; las siembras subsecuentes acaban por agotarlos. Los campos son abandonados cuando ya no son productivos y la erosión hídrica y eólica se encarga de eliminar el poco humus vegetal existente. Al tratar los procesos de la desertificación se hará otra mención de este fenómeno.

Cadenas tróficas en los biomas terrestres

América Latina y el Caribe, con la excepción de la región septentrional de México, corresponde a lo que en zoogeografía se conoce como Región Neotropical. Es decir, que en toda el área existe una cierta uniformidad faunística que se manifiesta en las tramas tróficas de la mayoría de los biomas.

La **Región** Neotropical está unida a la **Región Neártica (Norte América)** por el istmo centroamericano y parte de México lo que ha hecho posible un intercambio faunístico que ha enriquecido ambas regiones. Sin embargo, por razones geológicas y paleogeográficas, estas migraciones tienen lugar desde hace menos de cuatro millones de años, cuando se completó el istmo de Panamá. La fauna neotropical tuvo posibilidades de evolución independiente y actualmente está caracterizada por grupos muy conspicuos como los marsupiales (también representados en la Región Australiana), perezosos, armadillos y monos de cola prensil.

Las comunidades bióticas son el resultado de dos fenómenos: la evolución histórica de la naturaleza en un determinado lugar y la capacidad de los organismos de adaptarse a las condiciones de vida imperantes en la región.

En la Región Neotropical se reconocen varias Provincias Zoogeográficas definidas por faunas más localizadas. Es así posible reconocer un patrón más o menos generalizado de las tramas tróficas según los nichos ecológicos (en sentido funcional) que ocupan los animales de la fauna superior. En muchos casos las mismas especies ocupan los mismos nichos en biomas diferentes. Es el caso de los carnívoros superiores que, como el puma o el jaguar, forman parte de la estepa, la sabana, el bosque y la selva. Estos ejemplos se presentan no sólo en los mamíferos sino también en otros grupos de vertebrados.

Las adaptaciones al medio han determinado que en las estepas y sabanas predominen los animales corredores y caminadores y en las selvas y bosques los trepadores y voladores, que ocupan el docel superior de la vegetación. El suelo de las selvas y bosques está casi despoblado de grandes animales.

IV. EL MEDIO AMBIENTE HUMANO

El hombre ha modificado de tal manera el medio ambiente físico que ha concluido por construir su propio medio ambiente, integrado por "artefactos y símbolos-artefactos" que abarcan desde los modos de producción y consumo hasta las formas de creer y de pensar. Es así como no existe un único hábitat humano. Él adopta determinadas características y funciona en razón de las pautas culturales, sociales, económicas y políticas de cada civilización, pueblo, nación o región.

Existen diferencias tan marcadas entre la estructura y el funcionamiento del medio ambiente humano y del medio ambiente físico que rodea a animales y vegetales, que ambos exigen tratamientos independientes, a pesar de ciertas similitudes. Por ejemplo, los mecanismos de producción en los ecosistemas naturales están regidos por leyes ecológicas, ya discutidas en párrafos anteriores; la producción en los ecosistemas humanos, en cambio, se funda en leyes económicas y sociales que dependen del sistema político que las enmarca. Productividad, en economía, significa la mayor eficiencia obrera y tecnológica para producir elementos de consumo y productividad, en un ecosistema natural, es la capacidad de los vegetales para acumular energía química. De lo anterior se deduce que al analizar el funcionamiento de un ecosistema humano no es correcto hacerlo basándose únicamente en los flujos energéticos porque también debería tenerse en cuenta el sistema económico y social en que se encuentra enclavado. No es lo mismo analizar ecosistemas rurales o urbanos de un país subdesarrollado de economía dependiente, de un país subdesarrollado que se ha liberado de las empresas transnacionales o de un país desarrollado.

Las diferencias entre los ecosistemas humanos derivan del entorno geográfico. Los ecosistemas rurales del bioma de la selva, del bosque, de los pastizales y del desierto tienen diferencias sustanciales en cuanto a sus requerimientos y posibilidades de funcionamiento y producción.

En América Latina y el Caribe el medio ambiente humano adopta características muy dispares. Situación geográfica, disponibilidad de recursos, antecedentes históricos, rasgos culturales y organización socioeconómica son los factores determinantes. Sin embargo, en la región se hace evidente la herencia del modelo colonial de desarrollo caracterizado por el despilfarro de los recursos naturales y la explotación despiadada del hombre. No obstante, algunos países están logrando un desarrollo basado en la justicia social y en el uso integral no expoliador de los recursos naturales y humanos.

Ecosistema rural del monocultivo

El monocultivo es el sistema agrícola más difundido en América Latina y el Caribe donde el poder colonial y neocolonial ha distribuido las áreas de producción de materias primas con el fin de abastecer a las metrópolis. Es así como existen países monocultores azucareros, cafetaleros, bananeros, cerealeros, algodoneros y ganaderos.

El noreste brasileño es un ejemplo dramático de este sistema de explotación que presenta secuelas ecológicas, económicas y sociales. El bosque tropical, que cubría originalmente la región entre Bahía y Ceará, comenzó a ser desmontado por los primeros colonizadores y, junto a plantaciones azucareras, se desarrollaron pequeñas parcelas de policultivos de frutas, cereales y hortalizas para subsistencia de los campesinos. Muy pronto, y ante el auge del negocio, los latifundistas azucareros exigieron el abandono de las parcelas con el fin de aumentar el área sembrada con caña de azúcar. El monocultivo se impuso hasta donde las condiciones naturales lo permitieron. La población más pobre quedó librada a su propia suerte y pasó a depender de los alimentos importados de otras regiones, negocio que también manejaban los latifundistas. La consecuencia fue el hambre y la desnutrición. El noreste brasileño es hoy una de las regiones más subdesarrolladas del hemisferio occidental, con treinta millones de personas que sufren la herencia del colonialismo azucarero.[18]

El ejemplo del noreste brasileño es similar al de toda la región azucarera de América, desde la Argentina y Uruguay hasta el Caribe, y la lista de ejemplos podría ampliarse en forma interminable. El patrón de explotación siempre será el mismo y sólo habrá que cambiar la especie cultivada.

Desde el punto de vista ecológico los monocultivos, y entre ellos el azucarero, son ecosistemas extremadamente simplificados, y como tales, muy inestables. Esa inestabilidad es la que ha conducido a la destrucción del medio ambiente y al abandono de las plantaciones, en el noreste brasileño y en otras regiones de América.

La producción se concentra en el nivel de los autótrofos (figura 16). La energía química acumulada en las sustancias de reserva de la caña (glucosa) es el resultado de una alta productividad neta que asegura una gran producción. En el mejor de los casos las plantaciones se subsidian con riego artificial, abonos, herbicidas e incorporación de algunas tecnologías, pero lo más frecuente es que no existan estos tipos de subsidios. Predominan los sistemas artesanales de laboreo y transporte, las inversiones de capital son muy bajas, los salarios no alcanzan a cubrir las necesidades básicas de los campesinos, no existen inversiones de tipo social (salud,

[18] J. de Castro, 1963, *Geografía del hambre*, Buenos Aires, Solar/ Hachette, (1975); E. Galeano, *Las venas abiertas de América Latina*, México, Siglo XXI, 1979.

vivienda, educación) y la administración estatal trabaja en función de los intereses propietarios. De este modo los ecosistemas del monocultivo se transforman en un pingüe negocio. El capital monopólico y oligárquico se multiplica en forma cuantiosa y pasa a subsidiar, en gran parte, a las economías de los países centrales. La contaminación derivada de la miseria adquiere proporciones dramáticas.

Ecosistema rural del policultivo

La implantación de un ecosistema rural polifacético es una de las alternativas al monocultivo. Sin embargo se halla en contradicción con el latifundio y el subdesarrollo. Con el primero porque la tierra dejaría de ser un bien de renta para transformase en un bien de producción; dejaría de perseguir el lucro, como objetivo fundamental, para atender a las necesidades de la propia comunidad agraria y de la sociedad en su conjunto. Con el subdesarrollo sería incompatible porque requeriría de un fuerte subsidio educativo, científico y técnico. Además su éxito sólo es posible con una activa participación de la comunidad agraria y de su capacidad autogestionaria.

El funcionamiento de un ecosistema de policultivo requiere de estrategias para el ecodesarrollo que, diseñadas para distintas ecozonas, deben contemplar, entre otros puntos, los siguientes: [19]

1. Aprovechamiento integral de los recursos disponibles para atender a las necesidades básicas de la población local y regional;

2. Garantía de la explotación de los recursos a largo plazo evitando la acción depredadora;

3. Reducción al mínimo de los impactos negativos que la actividad humana genera sobre el medio ambiente;

4. Complementación de las actividades productivas para evitar el desperdicio y minimizar los desechos;

5. Diseño de tecnologías adecuadas para lograr los objetivos señalados y apoyo técnico y científico que no signifique la implantación de tecnologías enajenantes, provenientes de los países centrales, sino fundadas en las características ecológicas y culturales de la región.[20]

En el modelo teórico y muy esquematizado que sigue cada

[19] I. Sachs, *Población, tecnologías, recursos naturales y medio ambiente*, ECLA/RNMA/DRAFT/95, Naciones Unidas, 1973.

[20] C. Rommanini, *Ecotécnicas para el trópico húmedo*, México. Centro de Ecodesarrollo. PNUMA/CONACYT, 1976.

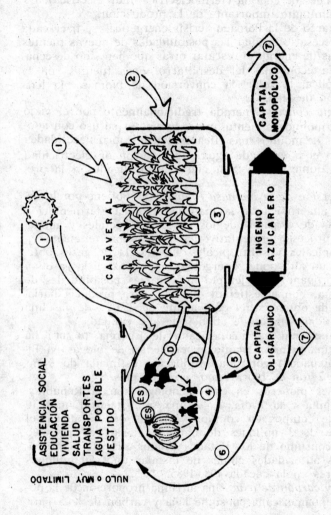

FIGURA 16
Flujos energéticos en un ecosistema rural de monocultivo (esquematizado). 1 = energía solar (ilimitada); 2 = subsidios energéticos e insumos (muy limitados): abonos, pesticidas, riego, maquinaria; 3 = producción primaria (caña de azúcar); 4 = población campesina; ES = economía de subsistencia; D = desechos y excrementos; 5 = salarios mínimos; 6 = aportes sociales insignificantes; 7 = ganancias cuantiosas que salen del sistema.

ASISTENCIA SOCIAL
EDUCACIÓN
VIVIENDA
SALUD
TRANSPORTES
AGUA POTABLE
VESTIDO

NULO O MUY LIMITADO

CAÑAVERAL

INGENIO AZUCARERO

CAPITAL MONOPÓLICO

CAPITAL OLIGÁRQUICO

una de las áreas mencionadas puede funcionar eventualmente
como un subsistema independiente (figura 17).

Suministro energético. La mayor parte de las comunidades
agrarias de América Latina y el Caribe no disponen de fuentes
convencionales de energía (termoeléctrica, hidroeléctrica). Es
ésta una limitante importante de la producción.

En el marco de la llamada "crisis energética" se hace cada
día más necesario evaluar las posibilidades de nuevas fuentes
alternativas de energía o rescatar otras que han sido desecha-
das por la economía del despilfarro. Esas fuentes son la
energía eólica, la solar, la conversión de biomasa, la leña
y el carbón de leña.

1. Energía eólica. Generada tradicionalmente por el viejo
modelo de molino de viento, puede aumentar su uso con nuevos diseños de molinos más eficaces. Puede cubrir necesidades
tales como el bombeo de agua y generación de electricidad
para usos domésticos y aun ciertos usos ligados a la producción.

2. Conversión de la biomasa (biogás). Se obtiene por la degradación anaeróbica de la materia orgánica (fermentación
en ausencia de oxígeno) de los desechos vegetales y animales. Este proceso fermentativo es mucho más eficiente en
climas tropicales y subtropicales. La mezcla de gases obtenida tiene un alto poder energético y remplaza a la gasolina
y al gas propano. Un ejemplo muestra las posibilidades de
este sistema: con el estiércol que una vaca produce diariamente puede obtenerse el equivalente de 750 cc de gasolina
y una cantidad similar de abonos de alta calidad.

La Organización Latinoamericana de Energía (OLADE) ha
instalado una primera planta experimental de biogás en Pi-
chincha (Ecuador) con una producción estimada de 8 m³
diarios y 9.2 ton de biocarbono seco por mes.

Los países pioneros en esta tecnología son la República
Popular China y la India. En China se instalaron unos 10
millones de equipos en comunas agrarias que producen el
equivalente de 3 millones de barriles diarios de petróleo
(15% del consumo de los Estados Unidos). Existe el propó-
sito de las autoridades chinas de instalar unos 70 millones
de digestores en la década 1980-1985.[21] *

3. Leña y carbón de leña. Una altísima proporción de la población latinoamericana consume leña y carbón de leña para

[21] Qu Geping, "China turns to biogas", en *Mazingira*, núm. 12,
Nairobi, PNUMA, 1979.
   * Sobre alternativas energéticas en América Latina consultar
la obra PNUMA-OLADE-PNUD, *Estudio de capacidades para el uso de
fuentes no convencionales de energía*, Quito, Ecuador, 1979.

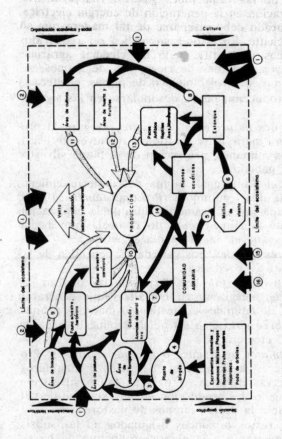

FIGURA 17

Flujos energéticos en un ecosistema rural de policultivo (esquematizado). 1 = energía solar (ilimitada); 2 = subsidios energéticos e insumos (abonos, pesticidas) suficientes; 3 = abonos; 4 = energía por conversión de biomasa; 5 = energía eólica; 6 = agua; 7 = transporte, tiro y carga; 8 = riego y abonos; 9 = madera (postes, leña), hojas, frutos, semillas; 10 = carne, cueros, pieles, lana, plumas, huevos, leche; 11 = cereales, caña de azúcar, café; 12 = frutas, legumbres, hortalizas, semillas, hojas (infusiones); 13 = carne, huevos, plumas, pieles, cueros; 14 = autoabastecimiento; 15 = insumos (vestido, comunicaciones, recreación); 16 = educación, vivienda, salud (aportes estatales). La venta y comercialización de la producción genera nuevas inversiones y mejores condiciones de vida.

sus necesidades elementales. La correcta administración de los bosques naturales o cultivados puede cubrir necesidades básicas, contribuyendo a que el ecosistema sea autosuficiente.

PRODUCCIÓN PRIMARIA. Otra de las entradas energéticas al ecosistema es el de las radiaciones solares. Independientemente de su utilización en la generación de energía eléctrica, un sistema equilibrado debe diseñarse de tal manera que su utilización sea eficiente. En estos casos deben ser requeridos los aportes técnicos y científicos de las ciencias agrarias: selección de cultivos, sistemas de riego, uso de abonos, selección de herbicidas, control biológico de plagas, etcétera.

Este nivel de producción puede desdoblarse en las siguientes áreas:

1. *Área de bosques naturales o cultivados*. Asegura la producción de madera para usos múltiples (incluyendo leña), forrajes, alimentos humanos, protección de la fauna silvestre y refugio para el ganado.

En la Pampa del Tamarugal, bioma del desierto chileno, la reforestación de una leguminosa *(Prosopis tamaruga)*, que había sido diezmada por el desmonte durante la explotación del salitre, permite la alimentación de 12 ovejas por hectárea (36 veces más que en la Patagonia argentina).[22]

2. *Área de montes frutales*. Sus variedades dependen de las condiciones climáticas y edáficas.

3. *Área de cultivos*. Según las circunstancias podrán ser cereales, forrajeras, oleaginosas u hortalizas que generarán alimento humano, de animales domésticos o materias primas.

4. *Área de pastoreo natural o artificial*. Producen carne, leche, cueros, lana, etcétera.

5. *Área de estanques artificiales o lagunas naturales*. Producen forrajes, peces, aves, reptiles, batracios o mamíferos. Son también reservas de agua, refugio de fauna silvestre y abrevadero de ganado. La producción en un estanque de cultivo puede superar a la de los campos de pastoreo.[23]

Los desechos y restos orgánicos originados en los subsistemas citados alimentarán a la planta productora de biogás y de abonos.

PRODUCCIÓN SECUNDARIA. El segundo nivel de producción representado por los herbívoros, también deberá ser polifacé-

[22] P. Gourou, *Leçons de geographie tropicale*, París, 1971; *fide* i. Sachs, *ibid.*, 1973.
[23] S. R. Olivier, *ibid.*, 1959.

tico y dependerá de las ciencias agrarias para la selección de especies, producción y utilización de subproductos. Los siguientes nichos ecológicos son los más representativos:

1. *Cría de ganado.* Produce carne, leche, lana, cueros y otros subproductos. Puede equilibrarse o complementarse con la cría en semicautividad de animales silvestres que, cuando son autóctonos, se adaptan mejor a las condiciones ambientales. En América Latina son particularmente importantes los venados, guanacos, llamas, alpacas, vicuñas, liebres, perdices y muchos otros herbívoros productores de carne, lana, pieles y cueros.

2. *Fauna silvestre.* En los bosques tropicales y subtropicales es particularmente importante la avifauna silvestre que constituye una fuente de recursos alimentarios. Las chachalacas, pavos de monte, palomas silvestres, faisanes, codornices, etc., son los más importantes. Coexisten además mamíferos herbívoros que, como los monos aulladores, son también recursos a tener en cuenta en la producción de carne para consumo humano.

3. *Cría de animales de corral.* Está asociada al cultivo de plantas forrajeras como la alfalfa, el maíz, el mijo y otras. Se incluye en este rubro la cría de cerdos y animales de carga y tiro.

4. *Acuacultura y pesca.* A realizarse en estanque o lagunas naturales. Esta actividad puede complementarse con la pesca en ríos, y lagos o el litoral marítimo, según sea la situación geográfica del ecosistema rural.

PRODUCCIÓN TERCIARIA. El otro nivel de producción posible de utilizar es el de los carnívoros primarios. El peligro es que algunos de ellos pueden convertirse en plagas. Sin embargo los zorros, por ejemplo, pueden actuar como control biológico de plagas de la agricultura además de producir pieles. Los hurones son utilizados en muchas regiones como animales de caza. El puma ha sido semidomesticado en ciertos países. Los peces ictiófagos, los caimanes y los cocodrilos brindan carnes y pieles.

Estructurados sobre las bases sintetizadas los sistemas rurales son autosuficientes desde el punto de vista energético; brindan las posibilidades de una dieta balanceada a los integrantes de las comunidades agrarias; garantizan la explotación de los recursos a largo plazo, evitando la acción depredadora; reducen al mínimo los impactos negativos sobre el medio ambiente; y permiten la complementación de actividades para evitar los desperdicios y los desechos. Los subsidios externos de combustibles y lubricantes se reducen sustancialmente y la comunidad se capitaliza en función social, mejora la producción, las condiciones de vida de sus integrantes y contribuye al progreso del país.

Los ecosistemas urbanos

A diferencia de los ecosistemas rurales, los ecosistemas urbanos son heterotróficos y su estabilidad depende de la energía generada por centrales termoeléctricas, hidroeléctricas y termonucleares, y de los alimentos que les proveen los sistemas rurales (autotróficos).

Algunos centros urbanos poseen plazas, jardines y parques que son enclaves de sistemas autotróficos que contribuyen al equilibrio del medio ambiente. Sin embargo esos espacios abiertos han ido reduciéndose en las ciudades de rápido crecimiento. En la ciudad de México, por ejemplo, se calcula que las áreas verdes se han reducido en un 20% en los últimos 25 años ocupando actualmente tan sólo un 4.2% de la superficie urbana. En contraposición, los parques de la ciudad de Washington representan el 19% de la superficie y en Londres el 11%.[24] Muchas ciudades y pueblos pequeños poseen áreas de cultivo que contribuyen al autoabastecimiento familiar (legumbres, frutales), pero las sociedades de despilfarro se han olvidado de esas saludables prácticas.

No se ha llegado aún a un acuerdo sobre las dimensiones que debe tener un asentamiento humano para ser considerado ciudad. Dansereau[25] ha clasificado los poblados de acuerdo con la ocupación de la tierra. Caracterizó en ella diez tipos de ecosistemas urbanos e industriales y en base a ella se ha tratado de agrupar a los diferentes tipos de centros urbanos latinoamericanos, a saber:

1. *Ciudad provincial.* Se trata de asentamientos humanos con un estrecho margen de movilidad social. Poseen un rango de población media (menos de 100 000 habitantes). Su autonomía es baja y depende de suministros externos, mientras que la diversidad de las actividades productivas es mediana. Su poder político es bajo. Son ejemplos Chivilcoy (Buenos Aires, Argentina), Navojoa (Sonora, México), Río Grande (R. S., Brasil).

2. *Ciudad cabecera.* También poseen un margen de movilidad social estrecho. El nivel de población es alto (hasta

[24] G. Garza, "El drama de la ciudad de México", en *El Día,* México, 31 de mayo de 1980.

[25] P. Dansereau, *A coordinated scheme of ecological units,* Seminario sobre Hábitat Humano, México, CEPAL-CIFCA-CECADE, 1977.

500 000 habitantes). Su autonomía es baja y depende de suministros externos; la diversidad de las actividades productivas es de media a alta; su poder político es restringido. Son ejemplos Trelew (Ch., Argentina), Culiacán (Sinaloa, México), Porto Alegre (R. S., Brasil).

3. *Ciudad capital.* El rango de población es alto (1 o 2 millones de habitantes). Su movilidad es variable por una mayor complejidad de las actividades, lo que aumenta también la diversidad. No poseen autonomía. El poder político es alto. Son ejemplos Córdoba (Argentina), Guadalajara (México), Belo Horizonte (Brasil).

4. *Metrópoli.* La movilidad social es variable. El nivel de población es extremadamente alto (más de 5 millones de habitantes). No poseen autonomía; la diversidad de las actividades económicas secundarias y terciarias es muy alta igual que el poder político. Son ejemplos Buenos Aires (Argentina), México, D. F. (México), São Paulo (Brasil). La capital mexicana genera cerca del 50% del producto interno bruto (PIB).

5. *Centro minero.* No poseen movilidad. El rango de población es alto. Su autonomía es muy baja al igual que la diversidad económica y el poder político. Son ejemplos Catavi (Bolivia), Chuquicamata (Chile).

6. *Centro industrial.* Tampoco poseen movilidad. El nivel de población es alto. No tienen autonomía. La diversidad económica es baja y el poder político medio. Son ejemplos Monterrey (México), San Nicolás (Argentina), Cubatao (São Paulo, Brasil), Huachipato (Chile).

El proceso de concentración urbana en América Latina se inició cuando finalizó la segunda guerra mundial. En los últimos años ese proceso se ha acelerado de tal modo que ha escapado de las posibilidades de urbanistas y planificadores para regularlo. Los problemas estructurales y de funcionamiento de algunas grandes ciudades son cada día más graves y amenazan con romper el equilibrio de ecosistemas, que, por su naturaleza, son extremadamente frágiles.

Según un reciente informe de la FAO (Naciones Unidas) la demanda alimentaria en muchas ciudades latinoamericanas se duplicará en los próximos 10 años. Como es comprensible ello exigirá la duplicación de la capacidad de procesamiento y comercialización.

El crecimiento urbano va arrasando los cinturones verdes de producción de alimentos que rodeaban a muchas ciudades. Los sistemas rurales productivos se alejan cada día más de los centros urbanos consumidores agudizando los problemas del transporte. Crece el déficit de vivienda y se expanden los cinturones de pobreza. La provisión de agua y los servicios sanitarios no alcanzan a cubrir la creciente demanda y la contaminación por miseria se expande. En la ciudad de São Paulo (Brasil), existen 900 favelas donde viven un millón de personas. En 1977 la población de esos tugurios representaba el 6% de los habitantes de la ciudad pero en 1980 ese porcentaje se había elevado al 10%. En Río de Janeiro la situación es aún más crítica, pues el 25% de las personas viven en tugurios.

CUADRO II

EVOLUCIÓN DEMOGRÁFICA DE LAS PRINCIPALES CIUDADES DE AMÉRICA LATINA

| | | Habitantes | |
Ciudad	1950	1970	1985
México	2 900 000	8 300 000	18 000 000
São Paulo	2 400 000	7 900 000	16 700 000
Buenos Aires	4 500 000	8 400 000	11 700 000
Río de Janeiro	2 900 000	6 800 000	11 400 000
Bogotá	700 000	2 600 000	6 400 000
Lima	600 000	2 800 000	6 100 000
Caracas	700 000	2 200 000	4 500 000
Santiago	1 400 000	2 800 000	4 100 000
Guadalajara	400 000	1 100 000	2 500 000
Cali	200 000	900 000	2 000 000
Montevideo	800 000	1 400 000	1 800 000
Guayaquil	300 000	800 000	1 700 000
Guatemala	300 000	800 000	1 600 000
Brasilia		500 000	1 300 000
Quito	200 000	500 000	1 000 000

La falta de higiene genera el desarrollo masivo de la fauna antropocéntrica, que consume una parte importante de la energía de la población. Entre los representantes más conspicuos se destacan los endoparásitos (amebas, ascaris, tenias, triquinas), los ectoparásitos (piojos, ladillas), los insectos hematófagos (pulgas, chinches, mosquitos), los insectos detritívoros y saprófagos, algunos de ellos transmisores de enfermedades (moscas, cucarachas, ratones, ratas) y animales domésticos que, si bien pueden actuar como control de plagas, poseen también su propia carga de enfermedades (gatos, perros). La hidrofobia, el paludismo, las enfermedades diarreicas, la disentería y las parasitosis intestinales figuran entre las principales causas de mortalidad y morbilidad.

El hacinamiento aumenta en la medida que se construyen nuevas viviendas especulativas debido al alto costo de la tierra urbana. Surgen así las villas miserias de cemento que acompañan a las villas miserias de lata y cartón.

Entre 1950 y 1970 el índice de crecimiento de los centros urbanos latinoamericanos fue del 4.6% anual, pero en la ciudad de México superó el 5% y en São Paulo el 6%. México representa el 20% de la población total del país, mientras que el Gran Buenos Aires núclea el 35.7% de la población argentina. En 1970 el 50% de la población latinoamericana vivía en centros urbanos; se calcula que esa cifra podría llegar al 75% en las próximas décadas.

Este "drama de la urbanización" latinoamericana no es casual porque obedece a razones de orden económico y social. Por un lado la industrialización ha aumentado la demanda de mano de obra y, por el otro, la pauperización que genera el modelo rural del monocultivo y el latifundio, obliga a las masas campesinas sin tierra a "refugiarse" en los tugurios ciudadanos. Cabe recordar que el 58% de la población rural latinoamericana vive debajo de los límites de la pobreza (informe de la OIT, 1980).

El proceso de urbanización modifica también otras estructuras de las ciudades. Se produce un dislocamiento del transporte por lo que centros recreativos, educacionales, actividades comerciales y administrativas quedan aisladas y, cuando no, incomunicadas. Incluso se llegan a destruir reliquias históricas y culturales en nombre de un "progreso" ilusorio. Está ocurriendo en ciudades coloniales de México y ha ocurrido en otras ciudades latinoamericanas. La industria del turismo juega, en este sentido, un papel altamente negativo. Perturba el medio ambiente, termina con las tradiciones culturales de la población y distorsiona la economía, los modos de vida y las estructuras sociales y morales.[26]

La concentración urbana favorece a los grupos económicos más poderosos que no solamente ejercen el control del mercado de la tierra ciudadana, sino también el del capital y el de la mano de obra. Al propio tiempo son los principales beneficiarios de las cuantiosas inversiones que realiza el Estado en obras de infraestructura.[27]

"La ciudad —dice el referido informe de la UNESCO— que era un centro civilizador por excelencia, es hoy denunciado como punto de contaminación, de tiempo perdido, de segre-

[26] UNESCO, *Ideas para la acción. La* UNESCO *frente a los problemas de hoy y el reto del mañana*, París, 1977.

[27] L. Unikel, "Los dilemas del crecimiento de la ciudad de México", en *El Día*, México, 31 de mayo de 1980.

gación, de agresiones psicológicas, de soledad e incluso de inseguridad."

Los principales flujos energéticos que se identifican en una ciudad cabecera son un buen ejemplo de algunas de las peculiaridades urbanas a que se ha hecho referencia. Se ha tomado como tipo la ciudad de La Paz, capital del estado de Baja California Sur (México), un asentamiento humano marcadamente heterotrófico en el bioma del desierto (dependencia casi absoluta en materia de energéticos, alimentos y productos industriales). El flujo energético desde el entorno es mínimo en parte debido a que sus recursos naturales renovables no son utilizados en forma eficiente. Otro tanto ocurre con los recursos del mar litoral. Las reservas de aguas subterráneas, aunque no han sido cubicadas, se consideran muy limitadas; su utilización no se ajusta a las exigencias de un área desértica. La dependencia en alimentos es casi absoluta. Proceden de otros estados de México y en una proporción muy elevada de los Estados Unidos de América (leche, fruta, verduras, conservas).

Las limitaciones del medio y la estructura del ecosistema urbano da lugar a que la movilidad social sea muy baja. La ciudad es un centro comercial y administrativo alentado por franquicias aduaneras que atraen a la mayor parte del turismo. La importante asistencia federal se canaliza hacia la infraestructura y la educación. La formación de recursos humanos es una característica importante de la ciudad.

La información que se sintetiza en la figura 18 corresponde en parte a todo el Estado, pero debido a la alta concentración urbana, pueden considerarse como válidas para la ciudad de La Paz. En la producción de algodón, por ejemplo, se incluye el procedente de la zona de Ciudad Constitución (municipio de Comondú) pues se comercializa por La Paz. La información ha sido obtenida de: "Estadística Informativa General", Gobierno del Estado de Baja California Sur (1978); "Desarrollo Urbano", Ecoplán del municipio de La Paz, B. C. S., Gobierno del Estado-Secretaría de Asentamientos Humanos y Obras Públicas (1980) y Ecoplán de Baja California Sur, de los mismos organismos (1980).

El análisis no pretende ser exhaustivo. Sólo se trata de una aproximación que muestra que los grandes flujos energéticos originan un producto interno bruto (PIB) considerable, que capitaliza al sector privado, y una importante formación de recursos humanos.

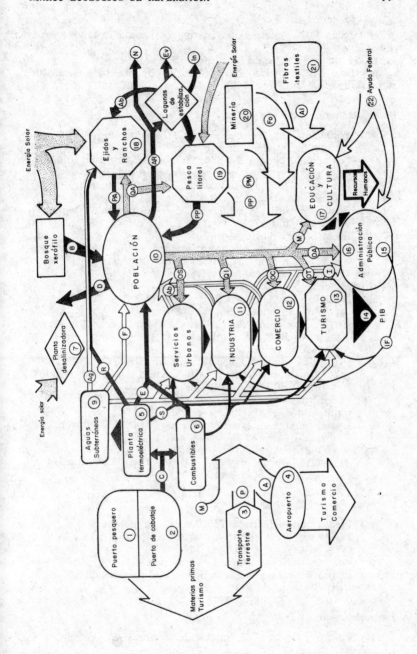

FIGURA 18
Principales flujos energéticos en un ecosistema urbano (esquematizados).
Ciudad de La Paz, Baja California Sur, México.
Superficie del municipio de La Paz, 23 726 km² (del estado de Baja California Sur, 73 677 km²).

Recursos humanos y naturales.

(10) Población en 1980, del estado 221 000 habitantes; del municipio 110 000 habitantes.
Población económicamente activa 26.5%: (OA) administración 51.9%; (QA) pesca y agricultura 28.4%; (OC) comercial 9.3%; (OI) industrial 7.8%; (OT) turística 3.5%; (OS) servicios sin datos; (M) maestros 3 220.

(8) Bosque xerófilo. Producción de leña, carbón y fauna silvestre sin datos.

(19) Ecosistemas marinos litorales.
(PP) Producción pesquera: peces 627.7 ton, mariscos 571.7 ton y tortugas 59.4 ton anuales.
PIB municipal = 5.44%.

(20) Minería.
(PM) Producción: oro 9 kg, plata 148 kg.
PIB del municipio = 1.21%.
(FO) Yacimientos de fosforita en exploración. Reservas calculadas 2 500 millones de ton.

(9) Aguas subterráneas.
(Ag) Riego agrícola 456 344⁶ m³ anuales (97%).
(F) Consumo doméstico (incluyendo comercial e industrial) 35 841³ m³/día (2%).

(18) Agricultura y ganadería. Área de riego: 8 223 ha en el municipio y 15 910 ha en el estado.
(PA) Producción agropecuaria: agrícola 170 000 ton; ganado faenado 2 300 ton anuales.
PIB del municipio = 4.08%.
(21) Fibras textiles, (Al) algodón 63 290 ton anuales en todo el estado.

Energía y combustibles

(5) Planta termoeléctrica 125 000 KW de potencia.
Distribución: (S) servicios urbanos 40%; (E) usos domésticos 30% y (R) uso rural 10%.

(6) Combustibles y lubricantes sin datos.

(7) Planta de energía solar experimental que desaliniza 10 000 l/día de agua de mar.

Comunicaciones y transportes.

(1) Puerto pesquero, 43 barcos de altura y 755 embarcaciones menores.

(2) Puerto de cabotaje.
   (p)   Pasajeros anuales 460 982.
         Vehículos anuales transbordados 45 710 [transpor-
         te de alimentos (a), mercancías (m) y combusti-
         bles (c)].
(3) Transporte terrestre con una carga anual transportada
    de 733 781 ton [alimentos (a) y mercancías (m)].
(4) Aeropuerto internacional.
   (p)   Pasajeros transportados anualmente: 286 779 na-
         cionales y 35 348 internacionales.

Actividades productivas

   (11) Industria. PIB = 18.06%.
   (12) Comercio. PIB = 35.09%.
   (13) Turismo. PIB = 13.85% (incluye servicios urbanos).
(15, 16) Administración pública. PIB = 40%.
       (IF)   Infraestructura.
       (I)   Ingresos del Estado 1 449 millones de pesos mexi-
              canòs.
              Ingresos municipales 106 232 pesos mexicanos.
   (14) Producto interno bruto 3 730 millones de pesos mexica-
        nos anuales.
   (17) Educación y cultura. Población escolar: preescolar y pri-
        maria 54 056 alumnos; media y técnica 21 694 alumnos y
        superior (licenciatura) 1 869 alumnos por año.

Desechos producidos por la actividad urbana

       (D)   Residuos sólidos sin datos.
       (AR) Aguas residuales 13 409 m^3/día.
           (N) Aguas no tratadas 15%.
               Aguas tratadas (laguna de estabilización)
               (Ab) Abonos y riego 9 710 m^3/día.
               (Ev) Evaporación 7%.
               (In) Infiltración 6%.

SEGUNDA PARTE

DESAFÍOS DE LA ECOLOGÍA SOCIAL

La estabilidad de la biósfera se ve amenazada por tres causas: el aumento descontrolado de la población humana; la contaminación ambiental y el despilfarro de los recursos naturales.

La Conferencia de las Naciones Unidas sobre el Medio Ambiente Humano, que tuvo lugar en Estocolmo en 1972, fue la culminación de las inquietudes que, sobre el futuro del hombre y de la naturaleza, comenzaban a recorrer el mundo. En su declaración de principios se reunieron propuestas que trataban de establecer un acuerdo político que permitiera mejorar la calidad de vida en todos los países. Las propuestas estaban sustentadas en la premisa de que disfrutar de un medio ambiente saludable es uno de los derechos fundamentales del hombre. Se establecía que esa responsabilidad es de todas las naciones, de sus ciudadanos y de sus instituciones. Es decir, una labor de carácter comunitario.

Puede aceptarse que los peligros de desestabilización son globales pero, se debe destacar que, su dimensión y naturaleza son muy diferentes según se trate de países desarrollados o subdesarrollados, de centros industriales o áreas rurales, de países tropicales o templados y fríos. Al propio tiempo no debería soslayarse la importancia que tiene en los problemas del medio ambiente el entorno histórico, cultural, económico-social y político en que se desenvuelve cada nación.

El aumento *explosivo* de la población humana es válido para la mayoría de los países de América Latina y el Caribe pero, en las diferencias regionales tienen importancia, no solamente factores económicos y sociales, sino también valores culturales. En definitiva y aunque en determinadas circunstancias históricas puedan influir otros factores *no es el aumento de población el que genera miseria, sino que es la miseria la que genera el aumento de la población.*

Con la contaminación ambiental ocurre un fenómeno semejante. En los países desarrollados la polución afecta principalmente a los grandes centros urbanos industrializados que exportan polución a otras regiones del planeta. En los países subdesarrollados, en cambio, es la miseria la principal causa de contaminación que llega a influir sobre la mayor parte de la población.

El consumo descontrolado de combustibles fósiles, la proliferación de reactores nucleares, la incorporación al medio ambiente de miles de compuestos químicos artificiales, la proliferación de armas convencionales, atómicas, químicas y biológicas, no son responsabilidades que puedan compartir la mayoría de los países subdesarrollados con los desarrollados. Los cambios climáticos, la alteración de la capa de ozono protectora de la biósfera y otros desequilibrios globales, no tienen origen en los países más pobres. La contaminación por miseria en los países subdesarrollados es, asimismo, un producto del desarrollo de los países centrales.

La humanidad se enfrenta a un despilfarro sin precedentes de los recursos naturales. La economía de libre empresa ha impuesto en las áreas periféricas el consumismo y el derroche donde miles de productos innecesarios se incorporan al mercado. El sostenimiento de esa economía de lo superfluo requiere del saqueo de los recursos naturales que son en su mayoría precisamente de los países del Tercer Mundo. El intercambio es elocuente: armas y baratijas caras por materias primas baratas. *La explotación de los recursos naturales, generalmente en manos de empresas transnacionales, dejan detrás de sí el atraso, el abandono, la miseria y el agotamiento de recursos que, renovables o no, se hacen irrecuperables.*

En los capítulos siguientes se analizarán los procesos desestabilizadores de la biósfera y la degradación del medio ambiente humano. Se tratará de mostrar cómo es que muchos de los llamados "problemas ecológicos" en América Latina y el Caribe tienen su origen en procesos económicos, sociales y políticos, que será preciso superar para hacer posible una vida digna del hombre americano en armonía con la naturaleza.

CAPÍTULO 3

LA POBLACIÓN

"...y nosotros que estamos enfrentados a las
responsabilidades de nuestros pueblos, sabemos lo que son las explosiones demográficas..." FIDEL CASTRO

Como ya se ha señalado en líneas anteriores, los problemas
de población no pueden desligarse del contexto social, económico, cultural y político que los enmarca. Tampoco pueden
ignorarse los graves problemas estructurales que enfrentan,
tanto los países desarrollados como, muy particularmente, los
subdesarrollados en la actual encrucijada histórica. Las políticas demográficas no pueden, por lo tanto, estar desligadas
del desarrollo social y de la situación económica global y
deberían abordarse, según la Conferencia Mundial de Población (Bucarest, 1974), teniendo presente los derechos humanos y el respeto a las tradiciones culturales de cada pueblo
y la soberanía nacional de cada país.

La demografía no ha conseguido aún desentrañar clara-
mente ciertas interrelaciones que existen entre población y
desarrollo. Sin embargo, parece evidente que algunos factores influyen en forma manifiesta sobre las tasas de natalidad:
situaciones de guerra o de paz; de prosperidad o de recesión;
de opulencia o de miseria. Es muy evidente que la mortalidad
está directamente relacionada con las condiciones de vida
de la población. La nutrición, la educación, la vivienda, las
actividades recreativas que condicionan la salud física y
mental de los individuos y, de un modo más general, la
relación del hombre con su entorno natural y sociocultural,
determinan no solamente las tasas de mortalidad, sino también el comportamiento del hombre y su responsabilidad
frente a la familia.[1]

Pero, ¿cuál es el límite de población humana que puede
ser sostenido por el ecosistema biósfera?; ¿cuál es la capacidad de la biósfera para generar alimentos?

Es indudable que nuestro planeta tiene su propia estructura y funciona sobre la base de determinados mecanismos
ecológicos y que cada sistema subordinado a la biósfera

---

[1] UNESCO, *Ideas para la acción*, París, 1978.

tiene una capacidad de carga definida. Ésta depende fundamentalmente de la eficiencia con que los organismos apro-
vechan la energía radiante. Esta capacidad no es estática
sino que se modifica constantemente en función de los aportes de la ciencia y de la tecnología que, al modificar ciertas
estructuras, determinan aumentos de la productividad y de
la producción. También depende de las cantidades de energía suplementarias e insumos que es posible utilizar (combustibles fósiles, termonucleares, agua). Pero, en última instancia, la realidad muestra que son los sistemas económicos
y sociales los que frenan o favorecen el mejoramiento de la
capacidad productiva de la biósfera. En América Latina y el
Caribe, por ejemplo, el progreso en la producción de alimentos se ve estrangulado por el atraso que ha generado el
colonialismo y la persistencia de formas caducas de propiedad de la tierra y de su explotación, debido al carácter de *reserva económica* que tiene en el actual orden económico internacional.[2]

Otras cuestiones que se hallan ligadas con los problemas
poblacionales son el de la distribución y uso de la energía
y el de la propiedad de los recursos tecnológicos. Estados
Unidos, por ejemplo, cuya población representa el 5% del
total mundial, consume el 30% de la energía. ¡Con esta energía podrían subsistir 10 000 millones de hindúes en las
condiciones de vida que tienen actualmente!

Resulta evidente, de la observación de las tendencias actuales del crecimiento de la población mundial, que mientras
en los países ricos existe una estabilización, y en ciertos
casos un envejecimiento, en el Tercer Mundo hay un crecimiento arrollador que genera día tras día conflictos sociales. Estos conflictos sólo podrán resolverse en el marco
de un nuevo ordenamiento de la economía mundial, donde
los países pobres dejen de producir riqueza para los países
ricos.

I. LA POBLACIÓN LATINOAMERICANA Y CARIBEÑA

En América Latina y el Caribe viven actualmente 377.1 millones de personas. El índice de crecimiento de esta población es uno de los más altos del mundo: 2.8% anual. Se estima que para fines de siglo aquella cifra se elevará a 652.3

[2] R. Segre, *Las estructuras ambientales en América Latina*, México, Siglo XXI, 1977.

millones, aunque el índice de crecimiento descienda al 2.6%.[3]
En el término de 20 años la población regional se habrá casi
duplicado. En la actualidad la densidad es de apenas 16
hab/km², pero debe tenerse presente que grandes regiones
se hallan deshabitadas en razón de sus características fisiográficas o climatológicas, como altas montañas, desiertos y
selvas tropicales.

La composición de esa polación por clases de edad es altamente significativa: los menores de 14 años eran en 1980
cerca del 41% de la población total (12 millones de niños
menores de un año; 33.5 millones de 1 a 3 años y 20.6 millones entre 4 y 5 años).

Composición racial. América es un crisol de razas. Los
primitivos habitantes que llegaron en oleadas sucesivas a
través del estrecho de Behring y muy probablemente en
migraciones transoceánicas desde la Polinesia recibieron el
impacto de la colonización europea después de milenios. Al
tiempo que comenzaba esta migración desde Europa, se inició
el tráfico de esclavos africanos hacia las nuevas colonias. El
"negocio" fue próspero y alcanzó tal magnitud que en muchas comarcas la población negra llegó a superar a la abo-
rigen y a la europea. Los primeros guineanos llegaron inmediatamente después de 1492, pero el dramático exterminio
de la población indígena determinó una intensificación del
tráfico esclavista durante todo el siglo XVI.

La revolución mercantil, promotora de la conquista americana, como ocurriría posteriormente con la revolución industrial, afectó profundamente a las poblaciones americanas
debido a que introdujo nuevas formas de explotación de la
naturaleza e implementó nuevas formas de utilización de
la energía. Según D. Ribeiro ello condujo a la transfiguración
étnica de los pueblos, remodelándolos a través de la fusión
de razas, de la confluencia de culturas y de la integración
económica, para incorporarlos, en última instancia, a nuevas
situaciones histórico-culturales. Los pueblos americanos fueron a tal punto afectados que se alteró su composición racial
y se degradó su cultura, quedando unas pocas sociedades
espurias, de cultura alienada, cuyos estilos de vida presentan
uniformidades extremas impuestas por las fuerzas coloni-
zadoras.[4]

Como resultado de ese proceso, los latinoamericanos somos hoy el producto de dos mil años de latinidad, de mezclas

[3] Naciones Unidas, *Anuario Estadístico de la Población Mundial.*
Nueva York, 1977.
[4] D. Ribeiro, *Las Américas y la civilización.* México, Extemporáneos, 1977.

con poblaciones mongoloides y negroides, aderezado con la herencia de múltiples patrimonios culturales y de la cristalización bajo la compulsión de la esclavitud y de la expansión salvacionista ibérica.[5]

En la actualidad es posible diferenciar tres tipos de pueblos latinoamericanos y caribeños, producto de esa fusión de razas: los *Pueblos Testimonio*, sobrevivientes de las grandes civilizaciones prehispánicas (azteca, maya e inca), que constituyen el mayor núcleo de población de México, América Central y el altiplano andino; los *Pueblos Nuevos*, surgidos de la conjunción, deculturación y fusión de europeos, indígenas y africanos. Se destacan entre ellos, los chilenos y paraguayos por la fuerte influencia araucana y guaraní; y los *Pueblos Transplantados*, con predominio de europeos emigrantes, entre los que fueron frecuentes núcleos desclasados socialmente o marginados religiosamente. Argentina y Uruguay son los ejemplos más notables en la región, a los que se unen, en Norte América, los Estados Unidos y Canadá.[6] En los países rioplatenses, la población gaucha y ladina originaria de la primera colonización, fue prácticamente arrasada por nuevas oleadas migratorias europeas posteriores a la independencia. La diferenciación de más arriba es, sin embargo, generalizada porque en el noreste argentino, por ejemplo, existe una conformación étnica que corresponde a la de un Pueblo Nuevo, aunque la influencia africana parece ser escasa.

La evolución demográfica de cada uno de esos conglomerados humanos ha sido y es diferente. El cuadro III resume esa evolución.

Demógrafos, sociólogos e historiadores coinciden en la apreciación de que resulta bastante riesgoso estimar el número de los habitantes indígenas anterior a la llegada de los españoles. De acuerdo con los testimonios de fray Bartolomé de las Casas podría haber ascendido a unos 100 millones de habitantes, aunque algunos investigadores contemporáneos se inclinan por cifras mucho menores.[7] Datos más fidedignos existen en relación con la evolución poblacional durante la época colonial. Konetzke *(op. cit.)* sintetiza la información resumida en el cuadro IV.

La disminución de las poblaciones indígenas durante los primeros años de la conquista fue brutal. Los trabajos forzados, la esclavitud y, en particular, las enfermedades in-

[5] D. Ribeiro, *ibid.*, 1977.
[6] D. Ribeiro, *op. cit.*
[7] R. Konetzke, *América Latina.* II: *La época colonial,* México, Historia Universal, Siglo XXI, vol. 22 (4ª ed.), 1976.

CUADRO III

COMPOSICIÓN RACIAL PROBABLE DE LOS GRANDES GRUPOS DE PUEBLOS AMERICANOS EN EL PERÍODO DE LA INDEPENDENCIA (1825), EN 1950 Y EN EL 2000 (en millones)

(según D. Ribeiro, 1977) *

	Pueblos Testimonio			Pueblos Nuevos			Pueblos Transplantados			Totales		
	1825	1950	2000	1825	1950	2000	1825	1950	2000	1825	1950	2000
Indígenas	6.1	13.8	33.0	1.1	1.0	0.5	0.6	0.8	1.5	7.8	15.6	35.0
Blancos	1.8	10.2	20.4	2.0	41.8	130.0	10.0	163.0	300.0	13.8	225.0	456.0
Negros	0.5	0.3	—	5.0	14.0	60.0	1.5	15.0	70.0	7.0	29.3	130.0
Mulatos y mestizos	3.0	36.1	150.0	3.5	32.2	150.0	1.0	3.7	20.0	7.5	72.0	320.0
TOTALES	11.4	60.4	209.0	116.0	89.0	340.5	13.1	182.5	391.5	36.1	311.9	941.0

* Incluye la población de Estados Unidos y Canadá.

fecciosas transmitidas por los europeos, las desequilibraron. Debe sumarse a ello el cambio radical del equilibrio ecológico que sustentaba, en forma particular, a los imperios teocráticos de regadío. Un siglo y medio después del descubrimiento de América, la población indígena era apenas de 3.5 millones.[8] Uno de los casos más dramáticos de despoblación se encuentra en las Antillas: en la isla La Española (Haití y Santo Domingo) dos décadas después del descubrimiento, quedaban tan sólo 16 000 indios del millón que la había habitado.

La población negra no corrió mejor suerte. D. Ribeiro *(op. cit.)* ha calculado que hasta el año 1850 en que fue abolida la esclavitud habían ingresado al Brasil 10 millones de africanos negros. Se ha estimado que al salir de África la esperanza de vida de los esclavos era de 6 o 7 años.

CUADRO IV

EVOLUCIÓN DE LA POBLACIÓN LATINOAMERICANA Y CARIBEÑA
DURANTE LA ÉPOCA COLONIAL
(según R. Konetzke, 1976)

| Territorio | *1570* | | |
	Blancos	Negros, mestizos, mulatos	Indios
México, América Central y Antillas	52 500	91 000	4 072 150
América del Sur española	65 500	139 000	4 955 000
Brasil	20 000	30 000	800 000
América Central y del Sur	138 000	260 000	9 827 150

| Territorio | *1650* | | | | |
	Blancos	Negros	Mestizos	Mulatos	Indios
México, América Central y Antillas	330 000	450 000	190 000	144 000	3 950 000
América del Sur española	329 000	285 000	161 000	95 000	4 525 000
Brasil	20 000	100 000	50 000	30 000	700 000
América Central y del Sur	729 000	835 000	401 000	269 000	9 175 000

[8] D. Ribeiro, *ibid.*, 1977.

1825				
Territorio	*Blancos*	*Negros*	*Mestizos y mulatos*	*Indios*
México, América Central y Antillas	1 992 000	1 960 000 (para México y América Central bajo mulatos)	2 681 000	4 580 000
América del Sur española	1 437 000	268 000 (parcialmente bajo mulatos)	2 871 000	3 271 301
Brasil	920 000	1 960 000	700 000	360 000
América Central y del Sur	4 349 000	4 188 000	6 252 000	8 211 301

Cultura de la pobreza. La población regional arrastra un pesado lastre histórico: primeramente fue degradada por la esclavitud y por una violenta deculturización luego fue marginada del sistema productivo y hundida en la *cultura de la pobreza.*[9] Las cifras son dramáticas. En 1970 de una población estimada en 282.6 millones de habitantes, unos 110 millones vivían en la pobreza y, de ellos, 54 millones en la indigencia.[10] Esta situación determina una alta mortalidad. Más de un millón de niños, entre 0 y 4 años, mueren anualmente víctimas de carencias alimentarias y enfermedades infecciosas, la mayor parte de ellos sin asistencia médica. En parte la razón es que carece de atención sanitaria el 74.2% de la población peruana, el 59.1% de la boliviana, el 50.4% de la ecuatoriana y el 44.8% de la guatemalteca. El analfabetismo llega en algunas regiones a más del 90% (en 1980 existían en México 300 000 niños de edad escolar que no hablaban castellano); la desocupación afecta en algunos países a la mitad de la población económicamente activa y la falta de viviendas adecuadas está generalizada.

Con base en frías estadísticas sobre el PBI ciertos organismos internacionales hacen aparecer a la región con ingresos *intermedios,* pero la realidad es muy diferente. Existe una acumulación enorme de riquezas en unas pocas manos, mientras que la más abyecta pobreza afecta a las mayorías. El

[9] D. Ribeiro, *ibid.,* 1977.
[10] CEPAL, Informe de 1979.

PBI oscila entre menos de 200 dólares anuales (Haití) y poco menos de 2000 dólares (Venezuela); pero las poblaciones indígenas marginadas de Bolivia, Perú, Ecuador, Guatemala y México (unos 30 millones de habitantes) tienen ingresos que oscilan entre 50 y 75 dólares anuales percápita; es decir, que disponen entre 10 y 20 centavos de dólar diarios para sobrevivir.

El crecimiento acelerado y desordenado de la población latinoamericana y caribeña, no obstante el atraso, la pobreza, las enfermedades y el hambre, representa un serio desafío para las próximas generaciones. La existencia de una *población joven* no es, en sí misma, un factor positivo. Su potencial renovador puede revertirse y resultar un factor de atraso si los proyectos de desarrollo no se implementan en forma orgánica, planificada y racional, para que atiendan, en primer lugar, a las necesidades de esa población en expansión. Ello no significa adherirse a los proyectos genocidas de la esterilización masiva o a otros métodos anticonceptivos de dudoso resultado. Estos proyectos pueden tener como objetivo no confesado el provocar un envejecimiento prematuro de la población de nuestros países; limitar el factor más dinámico de la sociedad y frustrar, de esa forma, los anhelos de cambio económico y social. La maduración de nuestras poblaciones debe ser, por el contrario, una consecuencia del progreso social y no una alternativa que, sirviendo a otros intereses, pueda suplantarla.

II. DINÁMICA DE LA POBLACIÓN HUMANA

Un análisis histórico de la evolución de la población mundial revela que se está viviendo actualmente uno de los tres grandes saltos cuantitativos que ha dado la humanidad.[11] El primer aumento poblacional fue impulsado por la fabricación de herramientas que hicieron posible la diferenciación del hombre del resto de los antropoides. La población de todo el planeta debe haber alcanzado entonces a unos 5 millones de habitantes. El segundo salto correspondió al período de la revolución agrícola, en que la población aumentó gradualmente durante unos 8000 años hasta llegar tal vez a un total de 500 millones. El tercer salto se está produciendo en el

[11] E. S. Deevey, Jr., "La población humana (1960)", en *El hombre y la ecósfera*, Selecc. Scientific American, Blume, 1975, pp. 52-62; C. Cipolla, *The economic history of world population*, Pelican, 5ª ed., 1972.

período actual, que incluye tres siglos de revolución científico-industrial. La aceleración del crecimiento poblacional ha sido tan grande, que en los primeros años de la década de los años sesenta la población mundial llegó a ser de 2 500 millones (figura 19) con tendencia a aumentar constantemente.

Según el Anuario Demográfico de la Organización de las Naciones Unidas (1977), la población mundial había llegado a 4 044 millones en 1976 (30 hab/km^2). La tasa anual de crecimiento de ese mismo año había sido de 1.9%, por lo que se estimaba que para 1980 aquella cifra se elevaría a 4 456 millones. De mantenerse esa tasa de crecimiento, en el año 2010 la población mundial superará los 8 000 millones.

La dinámica de la población humana tiene, como la de las poblaciones naturales, una serie de atributos que corresponden a su densidad por unidad de superficie, país o región; una estructura por edades y por sexos; una tasa de natalidad y otra de mortalidad; una longevidad media y una tasa de renovación o remplazo Sin embargo, resulta útil anticiparlo, los mecanismos que regulan aquellos parámetros en las poblaciones humanas no son los mismos que regulan los de las poblaciones naturales, por una sencilla razón: las leyes que rigen las poblaciones humanas y naturales son diferentes. El hombre ha ido adoptando a lo largo de su historia leyes socioeconómicas que han regulado y regulan su funcionamiento en sociedad. Las leyes naturales que gobiernan las poblaciones animales y vegetales no corresponden a las del hombre, que ha desarrollado tecnologías de la más variada índole para controlar los efectos desfavorables del ambiente, al tiempo que creó medios intelectuales para su propio control. Por lo tanto, la tasa de aumento de la población mundial es un resultado de los éxitos alcanzados en ambos aspectos.

Densidad

La distribución de la *densidad* de la población humana, ya se ha dicho, no es uniforme. En Asia se concentra el 56.97% de los seres humanos, mientras que en América Latina y el Caribe sólo vive el 8.23% y en Oceanía el 0.53% (cuadro v).

En lo que respecta a América Latina y el Caribe, la distribución tampoco es uniforme. En América del Sur tropical viven 185 millones de personas (55.5%); en América Central,

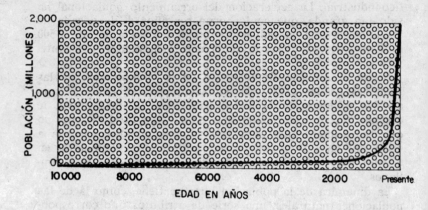

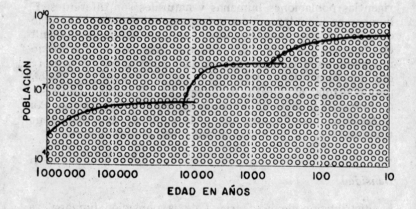

FIGURA 19

Evolución de la población humana. Arriba: crecimiento de la
población humana en los últimos 10 000 años. Abajo: aumentos
sucesivos del crecimiento de la población mundial en relación
con los grandes cambios históricos: fabricación de utensilios,
agricultura y revolución industrial. (Redibujado de *Scientific
American, man and the ecosphere*, 1971).

CUADRO V

DISTRIBUCIÓN DE LA POBLACIÓN MUNDIAL

	Total de habitantes en millones	Porcentaje relativo
Asia	2 304	56.97
Europa	476	11.77
África	412	10.18
América Latina y el Caribe	333	8.23
URSS	258	6.37
América del Norte	239	5.90
Oceanía	21.7	0.53
TOTAL	4 044.7	

FUENTE:
Anuario Demográfico, ONU, 1976.

81 (24.3%); en América del Sur templada, 39 (11.7%) y en el Caribe, 28 (8.4%).

Estas diferencias también se aprecian entre los países. La República Popular China, con 852.1 millones de habitantes, representa el 21.07% de la población mundial; la India, con 610 millones de habitantes, el 15.08%; mientras que países muy extensos, pero poco poblados, como Argentina (25.7 millones); Australia (13.6 millones) y Nueva Zelandia (3.1 millones), representan respectivamente el 0.63%, 0.33% y el 0.07%.

La densidad por unidad de superficie también es muy diferente y contrasta con las estadísticas anteriores:

Europa (96 hab/km²)

Holanda	337
Bélgica	325
Gran Bretaña	229
Suiza	154

América Latina y el Caribe (16 hab/km²)

El Salvador	190
República Dominicana	99
México	31
Brasil	12

Oceanía (3 hab/km²)

Nueva Zelandia	12
Australia	2

URSS (11 hab/km²)
Asia (84 hab/km²)

India	186
R. P. China	89
Indonesia	69

África (14 hab/km²)

Etiopía	23
Zaire	11
Argelia	6

Norte América (12 hab/km²)

Estados Unidos	22
Canadá	2

Al considerar la densidad de población de un país dado deben tenerse presentes sus características geográficas y el desarrollo relativo de sus diferentes regiones. Existen muchos países con extensas zonas inhabitables o inhóspitas (desiertos, pantanos, área selvática, altas · montañas, regiones polares), donde la densidad de habitantes por unidad de superficie total puede no reflejar la capacidad real de esa nación o región para sostener una población determinada. Argentina y Brasil resultan ser claros ejemplos a este respecto. En Argentina la mitad de su población se concentra en la capital y en la pampa húmeda, especialmente en los alrededores de Buenos Aires y en un cordón industrial que se prolonga hacia el norte, a lo largo de las riberas del río Paraná. En Brasil la casi totalidad de su población vive en los estados litorales. En Argentina existen extensas regiones de la Patagonia y del oeste del país, poco menos que sin colonizar y en Brasil ocurre otro tanto con las grandes extensiones de la Amazonia.

En la región caribeña la densidad de población puede ser muy elevada y, en ciertas islas, aun más. Por ejemplo, las Bermudas tienen una densidad de $1\,075$ hab/km^2 y Barbados 574 hab/km^2.

Índices de natalidad y mortalidad

En las poblaciones humanas los *índices de natalidad* y de *mortalidad* son el número de nacimientos y muertes por mil habitantes al año. La diferencia entre ellos expresa el *índice de crecimiento* de la población. Cuando se conocen las tendencias de los dos primeros pueden hacerse predicciones bastante precisas sobre la evolución poblacional.

Los tres índices reflejan la situación socioeconómica imperante en cada región o país. Por lo general, los países desarrollados poseen bajos índices de natalidad y mortalidad, a diferencia de los países subdesarrollados. Los altos índices de natalidad van acompañados de altos porcentajes de mortalidad, especialmente infantil, a pesar de los grandes avances logrados después de la segunda guerra mundial en medicina sanitaria (eliminación de la viruela, drástica reducción de la malaria, vacunas preventivas contra enfermedades endémicas) y en la producción de alimentos.

Estructura de la población por edades

La estructura de la población por edades (sin referencia a la estructura por sexos, pues en contados casos ésta se aparta de la normal 1:1) es un fiel reflejo de las tasas de crecimiento de la población. En demografía se acostumbra a construir una pirámide con la representación proporcional de las clases de edad, situando en la base a los jóvenes. Si la figura presenta una forma piramidal normal la población está en expansión; si la forma es de urna la población está estabilizada; una pirámide en posición invertida indica una población envejecida o decadente.

En los países subdesarrollados la pirámide poblacional adopta forma normal. La pirámide de la población mexicana (figura 20) muestra la existencia de un alto porcentaje de población joven; es una población en plena expansión. En cambio, la forma de urna de la pirámide poblacional de Estados Unidos (figura 20) demuestra que la población se encuentra estabilizada; si la tendencia de los índices de crecimiento continúa en disminución, podrá llegar el momento en que la población esté envejecida.

Las migraciones internas o internacionales pueden determinar fenómenos similares. Es el caso de Uruguay, donde la emigración y los bajos índices de crecimiento han generado un envejecimiento prematuro de la población. La estructura por clases de edad de la población de los Estados Unidos sería seguramente muy diferente si se excluyera de ella el aporte de la población negra y de la latinoamericana que son las que poseen mayores índices de crecimiento. Es decir, que podría interpretarse que la continua migración desde los países latinoamericanos y de otros continentes, hacia los Estados Unidos, significa realmente un rejuvenecimiento para su población.

III. TEORÍAS SOBRE LA POBLACIÓN

Los temores sobre el aumento irrestricto de la población mundial, como así las causas que favorecen su expansión o estancamiento, han sido motivo de largos y agudos debates. En algunas etapas de la historia de la humanidad se favoreció el aumento irrestricto de la población, como la autoridad patriarcal o despótica que consideró que un mayor número de hombres enriquecía a los soberanos o, por lo menos, aumentaba su poderío. Aún, hacia el año de 1750, Gurmeau

CUADRO VI

ESTIMACIONES DE LA POBLACIÓN TOTAL POR ÁREAS E ÍNDICES ANUALES DE CRECIMIENTO PARA AMÉRICA LATINA Y EL CARIBE, TOMANDO COMO BASE LOS DATOS DE 1965.

Regiones	Población en miles					Índices anuales de crecimiento (porcentajes)				
	1965	1970	1980	1990	2000	1965-70	1970-75	1980-85	1990-95	1995-2000
1. Variante baja										
Regiones menos desarrolladas *	2 251 510	2 522 681	3 136 625	3 819 836	4 523 382	2.3	2.2	2.0	1.8	1.6
Sudamérica tropical	129 854	150 035	198 648	257 832	325 152	2.9	2.8	**2.7**	**2.4**	**2.2**
Centroamérica (continente)	56 961	67 136	92 831	127 219	167 641	3.3	3.2	3.2	2.9	2.6
Sudamérica templada	23 068	25 762	31 713	38 814	47 677	2.2	2.1	2.0	2.1	2.0
2. Variante media										
TOTAL MUNDIAL *	3 289 002	3 631 797	4 456 688	5 438 169	6 493 642	2.0	2.0	2.0	1.8	1.7
Regiones más desarrolladas *	1 037 492	1 090 297	1 210 051	1 336 499	1 453 528	1.0	1.0	1.0	0.9	0.8
Regiones menos desarrolladas *	2 251 510	2 541 501	3 246 637	4 101 670	5 040 114	2.4	2.5	2.4	2.1	2.0
Latinoamérica	245 884	283 258	377 172	499 771	652 337	2.8	2.9	2.8	2.7	2.6
Sudamérica tropical	129 854	150 660	203 591	272 495	358 447	3.0	3.0	2.9	2.8	2.7
Centroamérica (continente)	56 961	67 430	94 706	132 387	180 476	3.4	3.4	3.4	3.2	3.0

Sudamérica templada	36 000	39 378	46 731	54 783	63 266	1.8	1.7	1.6	1.5	1.4
Caribe	23 068	25 785	32 145	40 107	50 148	2.2	2.2	2.2	2.2	2.2

3. Variante alta

Regiones menos desarrolladas *	2 251 510	2 563 561	3 378 768	4 424 950	5 650 426	2.6	2.7	2.7	2.7	2.4
Sudamérica tropical	129 854	151 266	208 241	288 203	394 822	3.1	3.2	3.3	3.2	3.1
Centroamérica (continente)	56 961	67 498	96 505	138 609	196 659	3.4	3.5	3.7	3.5	3.5
Sudamérica templada	23 068	25 851	32 754	41 915	53 842	2.3	2.3	2.5	2.5	2.5

4. Variante de fertilidad constante sin migración

Regiones menos desarrolladas *	2 251 510	2 559 001	3 381 131	4 583 220	6 368 737	2.6	2.7	3.0	3.2	3.4
Sudamérica tropical	129 854	151 523	209 966	295 754	420 972	3.1	3.2	3.4	3.5	3.6
Centroamérica (continente)	56 961	67 485	96 413	140 425	206 814	3.4	3.5	3.7	3.8	3.9
Sudamérica templada	23 068	26 041	33 725	44 540	60 115	2.4	2.5	2.7	2.9	3.1

* Los totales para las regiones menos desarrolladas han sido ligeramente ajustados para tomar en cuenta las discrepancias entre las hipótesis de inmigración y emigración internacional.

FUENTE: *Anuario Estadístico de Población*, ONU, 1977.

CUADRO VII

ÍNDICES CÓMPARATIVOS DE MORTALIDAD INFANTIL

Europa			URSS	27.7 (1975)
Suiza	8.7	(1975)	Norte América	
R. S. Rumania	9.3	(1975)		
Dinamarca	10.4	(1975)	Canadá	15.0 (1975)
Gran Bretaña	12.2	(1976)	Estados Unidos	15.0 (1976)
Bélgica	17.4	(1975)		
Italia	20.7	(1975)	Asia	
R. S. de Hungría	29.7	(1976)		
			Japón	10.0 (1975)
América Latina y El Caribe			India	122.0 (1974)
			Indonesia	125.0 (1970/75)
Cuba	19.2	(1979)*		
R. Dominicana	43.4	(1970/75)	África	
México	49.7	(1970/75)		
El Salvador	58.3	(1975)	Marruecos	149.0 (1970/75)
Argentina	59.0	(1970)	Congo	180.0 (1970/75)
			Rep. Centro	
Colombia	97.1	(1970/75)	Africana	190.0 (1970/75)
			Gabón	229.0 (1970/75)
			Oceanía	
			Australia	14.3 (1976)
			Nueva Zelandia	16.0 (1976)

* Informe Oficial del Gobierno de Cuba.
FUENTE: *Anuario Estadístico de Población* (ONU), 1977.

de la Morandiére proclamaba en Francia: "hay que multiplicar los súbditos y el ganado..." Aunque con una concepción algo diferente, Quesnay y los fisiócratas consideraban como beneficioso el aumento de la población, pero regulándola de acuerdo con las subsistencias.[12] En cambio la democracia griega se pronunció hace más de 2000 años por la limitación de la población y Voltaire escribía: "el punto principal no es tener un exceso de hombres, sino que los que existen sean lo más dichosos posible".[13]

Históricamente, los católicos han considerado que las ten-.

[12] A. Sauvy, *La población. Sus movimientos, sus leyes,* Buenos Aires, EUDEBA, (Cuadernos), 1960.
[13] A. Sauvy, *ibid.*

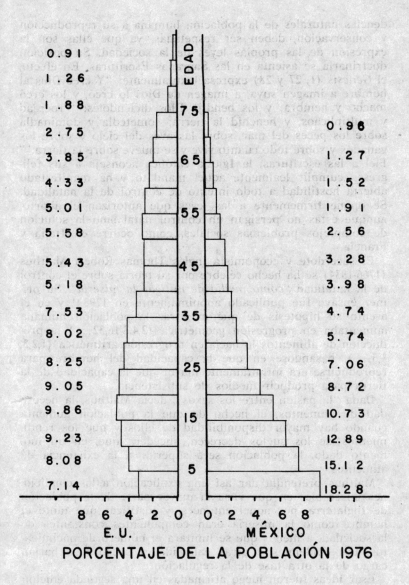

E.U.	EDAD	MÉXICO
0.91		
1.26		
1.88	75	
2.75		0.96
3.85	65	1.27
4.33		1.52
5.01	55	1.91
5.58		2.56
5.43	45	3.28
5.18		3.98
7.53	35	4.74
8.02		5.74
8.25	25	7.06
9.05		8.72
9.86	15	10.73
9.23		12.89
8.08	5	15.12
7.14		18.28

8 6 4 2 0 0 2 4 6 8

E.U.   **MÉXICO**

PORCENTAJE DE LA POBLACIÓN 1976

FIGURA 20
Comparación de las pirámides de población de México (tasa de
crecimiento anual de 3.4%) y Estados Unidos de América (tasa
de crecimiento anual de 1.1%). Datos obtenidos del *Anuario Estadístico de Población*, ONU, 1977.

dencias naturales de la población humana a su reproducción
y conservación, deben ser respetadas, ya que ellas son la
expresión de las propias leyes de la sociedad. Su posición
doctrinaria se asienta en las Sagradas Escrituras. En efecto,
el *Génesis* (1, 27 y 28) expresa textualmente: "Y creó Dios al
hombre a imagen suya, a imagen de Dios lo creó, y los creó
macho y hembra; y los bendijo Dios diciéndoles: 'Procread
y multiplicaos, y henchid la tierra; sometedla y dominadla
sobre los peces del mar, sobre las aves del cielo y sobre los
ganados y sobre todo cuanto vive y se mueve sobre la tierra.' "
Fiel a las escrituras, la Iglesia católica aconseja a sus feli-
greses cumplir lealmente aquel mandato y ha manifestado
abierta hostilidad a todo intento de control de la natalidad.
Se opone firmemente a las leyes que autorizan el aborto,
aunque éstas no persigan un control natal sino la solución
de complejos problemas sociales, como ocurre en Italia y
Francia.

El sacerdote y economista inglés Thomas Robert Malthus
(1766-1834) se ha hecho célebre por su teoría sobre el control
de la natalidad *"como medio de mitigar la miseria"*. Su primer ensayo fue publicado anónimamente en 1798 [14] y en él
asentó su hipótesis de que mientras la población humana
aumentaba en progresión geométrica (2,4,8,16,32...) la producción de alimentos lo hacía en progresión aritmética (1,2,3,
4,5...), basándose en que la capacidad del hombre para
reproducirse era infinitamente mayor que la capacidad de la
tierra para producir medios de subsistencia.

Dada "la pasión entre los sexos", decía Malthus, la necesidad de alimentos, el hecho de que la población aumenta
cuando hay mayor disponibilidad de ellos y que los rendimientos de los suelos decrecen, sucederá que, en un momento dado, la población será superior a la existencia de
alimentos.[15]

Malthus pretendía dar así una explicación a las condiciones miserables en que vivía la mayor parte de la población
de Inglaterra, por aquel entonces, y justificar que tanto el
hambre como la miseria eran componentes constantes de
la sociedad, a menos que se limitara el número de nacimientos. Las epidemias y otras calamidades sociales se harían
cargo de la otra fase de la regulación.

Esas ideas fueron luego afirmadas en una segunda edición
de sus ensayos, aparecida en 1803, donde las resumía en tres
principios básicos:

[14] T. R. Malthus, *Ensayo sobre el principio de población* (1978).
México, Fondo de Cultura Económica, 1951.
[15] T. R. Malthus, *ibid.*

a) que los medios de subsistencia limitan necesariamente
a la población humana;

b) que la población crece cuando aumentan los medios de
subsistencia, a menos que se lo impidan otros obstáculos
como las epidemias, etc., y

c) que los obstáculos que pueden oponerse al aumento
de la población, además de la falta de medios de subsistencia, son la contención moral, los vicios y la miseria.[16]
Como formas de desalentar el aumento de la población
proponía, entre otras "medidas", la "privación del matrimo-
nio no seguida por satisfacciones irregulares....; la limitación
de la ayuda a los pobres que vivían amontonados por tener
familia; y la limitación de la caridad, pues no resolvía la
falta de previsión de los pobres... ya que éstos generaban
su propia desgracia..." Paradójicamente esas teorías se di-
fundieron cuando el desarrollo capitalista naciente comenzó
a favorecer un impetuoso aumento de la población mundial.

Las teorías malthusianas despertaron adhesiones y violen-
tos rechazos. Según K. Marx, el *principio de población*, poco
a poco elaborado en el siglo XVIII y luego, en medio de una
gran crisis social, anunciada con redobles de tambor, fue
ruidosamente aclamado por la oligarquía inglesa.[17]

Marx expresaba más adelante: "los intereses conservadores
a cuyo servicio se hallaba Malthus incondicionalmente, le
impedían ver que la desmesurada prolongación de la jornada
laboral, junto al extraordinario desarrollo de la maquinaria
y la explotación del trabajo femenino e infantil, tenía necesariamente que convertir en 'supernumeraria' a la gran parte
de la clase obrera, en particular tan pronto como cesaran la
demanda de guerra y el monopolio inglés sobre el mercado
mundial. Era mucho más cómodo, naturalmente, y más con-
forme a los intereses de las clases dominantes, a las que Malthus idolatraba de manera auténticamente clerical, explicar
esa 'sobrepoblación' a partir de las leyes eternas de la naturaleza, que hacerlo fundándose en las leyes naturales de la
producción capitalista, puramente históricas."

Marx consideraba que las ideas de Malthus no eran originales, sino que habían sido "desvergonzadamente saqueadas"
del folleto del reverendo J. Townsend titulado "Disertación
sobre la ley de la pobreza" (1786) en el cual argüía de que los
hombres eran tan imprevisores que siempre existían aquellos
dispuestos a cumplir las "funciones más serviles, las más

[16] E. Roll, *Historia de las doctrinas económicas*, México, Fondo
de Cultura Económica, 1969.
[17] K. Marx, *El capital*, tomo I, vol. 2, p. 642, México, Siglo XXI,
1980.

sucias y abyectas de la comunidad". Y que gracias a esas circunstancias, las personas más "delicadas" se ven liberadas de ellas y pueden cumplir de esa forma con su vocación superior... "Las leyes de ayuda a los pobres —decía Townsend— tienden a destruir la armonía y la belleza, el orden y la simetría de ese sistema que Dios y la naturaleza establecieron en el mundo."

Los neomalthusianos, bajo nuevas formas tecnológicas y científicas, han revivido en las últimas décadas aunque no tratan de limitar, bajo aquellas mismas premisas, el crecimiento de sus propias poblaciones, tratan de hacerlo en aquellos países que mantienen bajo su dominación política y económica. Malthus, por coincidencia, había colaborado con el poder colonial. "Josué de Castro me ha dicho —dice Ruiz García— que ha encontrado en sus investigaciones documentos (recibos) que demuestran que Malthus estaba al servicio de las Compañías de Indias... Dato revelador de una técnica de dominio..."[18]

La polémica perdura y se ha hecho más aguda ante la crisis actual. Las distintas posiciones se pusieron de manifiesto en la Conferencia Mundial sobre Población que tuvo lugar en Bucarest en 1974. Por un lado, se alistaron los antinatalistas liderados por los Estados Unidos y demás países desarrollados del mundo capitalista y, por el otro, la mayor parte de los países del Tercer Mundo y del área socialista. Es probable que esa alineación haya obedecido a motivaciones muy diferentes. Así los conservadores realistas, preocupados por sus intereses de clase, se inclinaron por la limitación a una población óptima (malthusianismo) con lo cual asegurarían su bienestar económico sin poner en peligro sus intereses de clase; mientras que los conservadores idealistas, por atavismos religiosos o bien por confianza en la propia sociedad, se pronunciaron en contra de los controles poblacionales y en ello coincidieron con los marxistas ortodoxos, que se han opuesto siempre a todo intento de control natal. Es decir, que el ser natalista o antinatalista no presupone una definida posición ideológica. Más bien existen evidencias de que algunos países socialistas como, por ejemplo la República Popular China, admiten el control de la natalidad.

En los Estados Unidos es tendencia bastante generalizada el aceptar que los males de los países subdesarrollados están asociados, o por lo menos se agudizan con el aumento *explosivo de la población*. Entre ellos se enrolan los más destacados ecólogos norteamericanos. Eugene P. Odum, cuyos textos

[18] E. Ruiz García, *América Latina hoy*, Madrid, Guadarrama, t. I, 1971.

de ecología han servido de guía a varias generaciones de biólogos, en su obra publicada en 1972 incursiona en el campo de la *ecología humana*, demostrando ser ferviente partidario del neomalthusianismo.[19]

Dice Odum: "el dicho *el mayor bien para el mayor número* podía parecer adecuado para la sociedad cuando no estábamos hacinados todavía, pero no lo sigue siendo ya..." Debe interpretarse en esta frase que la injusticia social, según Odum, es consecuencia de la existencia de un exceso de población y no de la desigual distribución de la riqueza. Y más adelante afirma: "el estudio de la Naturaleza proporciona muchos datos acerca de cómo pueden establecerse *controles de calidad*... Los principios ecológicos proporcionan una base eficaz, según esperamos demostrarlo en este libro, para proyectar la *'consecución de la felicidad' de la sociedad* (sic) *con fundamento más bien en la calidad que en la cantidad...*" Pero, ¿cómo se evalúa la calidad? ¿Por el color de la piel o por la clase social a la que pertenece un individuo? ¿Por el país en que vive? No parecen quedar dudas de que lo que Odum propone es la *supervivencia de los más aptos o mejor dotados...* Si fuera así el error de Odum consistiría en pretender aplicar la teoría darwinista de la lucha por la existencia a las poblaciones humanas. A Darwin "no se le ocurrió ni por asomo" decir que él había encontrado en las ideas malthusianas el *origen* de la idea de la lucha por la existencia. Lo que Darwin ha dicho con bastante simpleza es que "la lucha por la existencia es la teoría de Malthus aplicada a los mundos animal y vegetal".[20] Es decir, una cosa es la lucha por la existencia y la selección natural en la naturaleza, y otra, muy distinta, en las sociedades humanas, donde operan leyes socioeconómicas diferentes, de acuerdo con los sistemas sociales en vigencia.

En otro capítulo, Odum (siguiendo a Ehrlich y Ehrlich, 1970), dice que: "las naciones subdesarrolladas se convertirán en las naciones *que nunca llegarán a desarrollarse*, a menos que el crecimiento de la población se haga considerablemente más lento. *Por otra parte —continúa Odum—, la calidad de vida se ve amenazada en los países desarrollados por un bienestar excesivo que conduce a la contaminación, al crimen y a una población creciente de gente 'subdesarrollada' y miserable dentro de sus propias fronteras.* Así pues, debe haber una estrategia global simultánea encaminada a

[19] E. P. Odum, *Ecología*, México, Ed. Interamericana (3ª ed.), 1972.
[20] F. Engels, *Anti-Dühring (1878)*, México, Ediciones de Cultura Popular, 1977.

nivelar el crecimiento de la población en el mundo entero, pero especialmente en el mundo subdesarrollado..." Y se pregunta, "¿no debería acaso perseguir el hombre el grado máximo de calidad y diversidad de la *biomasa*, en lugar del grado máximo de productividad y de consumo como tales?" Y vuelve a afirmar: "*aquello de que no nos percatamos suficientemente a menudo es que una nación rica necesita más espacio y recursos 'per capita' que la nación subdesarrollada, de modo que las densidades, tanto óptimas como de saturación, se sitúan en un nivel mucho más bajo...*"

Los párrafos precedentes son evidentemente un intento de justificación ecológica del colonialismo y del neocolonialismo. Es que, como dice otro norteamericano, el Dr. Richard Levins [21] "América Latina es el laboratorio de experimentación en el campo de la sofisticada tecnología del control de la natalidad y las mujeres latinoamericanas, los conejillos de indias", y continúa "en 1970 sólo la Agencia Internacional para el Desarrollo (AID) otorgó a América Latina una ayuda en anticonceptivos por más de 10 millones de dólares", añadiendo que en los países allende el río Grande, continuamente se prueban anticonceptivos hormonales, inyectables, en mujeres extremadamente pobres (especialmente en Honduras, Brasil y Chile). Sobre los motivos de esta "ayuda", el Dr. Levins citó palabras del ex presidente Johnson ante las Naciones Unidas en 1965, donde dijo: "actuemos en base al hecho de que cinco dólares invertidos en control de natalidad, equivalen a 10 dólares invertidos en crecimiento económico".[22] Concluye el artículo citado: "considerado el hombre como ganado, es efectivo, que para empresas monopolistas no hace falta más que determinada cantidad de personas, en consonancia con sus tasas de reproducción del capital y el volumen de la mano de obra requerida (inversamente proporcional al adelanto tecnológico de los países centrales), pero estudiosos y científicos de otras naciones, en especial del mundo socialista han comprobado que la miseria y el subdesarrollo, la incapacidad de absorber el acceso a la vida de las nuevas generaciones de hombres, es más un resultado del injusto sistema socioeconómico vigente que de los elevados índices de nacimientos".

[21] Reunión científica celebrada en México por la Asociación Americana para el Progreso de las Ciencias.
[22] Periódico *La Opinión*, Buenos Aires, 4 de julio de 1973.

IV. AUMENTO DE LA POBLACIÓN Y PRODUCCIÓN DE ALIMENTOS

Se ha visto que, según algunos demógrafos, los saltos acaecidos en el aumento de la población humana obedecieron a cambios revolucionarios de los medios de producción de alimentos. Cuando el hombre era cazador y recolector, solamente podía vivir en clanes o tribus y en áreas restringidas que producían alimentos suficientes para pequeñas poblaciones. Con el nacimiento de la agricultura se favoreció el nucleamiento humano en asentamientos más numerosos y la población creció rápidamente. Con el advenimiento de la revolución industrial y el portentoso desarrollo tecnológico-científico, la mayor producción de alimentos y el mejoramiento de las condiciones de vida han hecho posible un nuevo y explosivo aumento poblacional. La agroindustria basada en el desarrollo de las industrias química y metalmecánica, ha logrado aumentos espectaculares de la productividad con la *revolución verde*. Sin embargo, dista mucho para que esos adelantos sean accesibles a los países más necesitados. Tanto es así que mientras el Consejo Internacional del Trigo anunciaba desde Londres que la cosecha del año 1980 sería superior al consumo, la UNICEF desde Santiago de Chile, denunciaba que 12 millones de niños pobres morirían ese mismo año por carencias alimenticias.[23]

Al respecto opinaba K. Marx (*op. cit.*, pp. 612-613), "Y todo progreso de la agricultura capitalista no es sólo un progreso en el arte de *esquilmar al obrero*, sino a la vez en el arte de *esquilmar el suelo;* todo avance en el acrecentamiento de la fertilidad de éste durante un lapso dado, un avance en el agotamiento de las fuentes duraderas de esa fertilidad. Este proceso de destrucción es tanto más rápido, cuanto más tome un país —es el caso de los Estados Unidos de Norteamérica, por ejemplo— a la gran industria como punto de partida y fundamento de su desarrollo. La producción capitalista, por consiguiente, no desarrolla la técnica y la combinación del proceso social de producción sino socavando, al mismo tiempo, los dos manantiales de toda riqueza: *la tierra y el trabajador.*"

Estas reflexiones guardan total vigencia en los países dependientes de la América Latina y el Caribe, en donde la degradación de los suelos agropecuarios y la miseria son los rasgos más salientes de la situación por la que atraviesan (véase cap. 5).

Se calcula que una persona requiere de 2 200 calorías diarias para cubrir sus necesidades; mientras un ciudadano

[23] Periódico *El Día*, México, 25 de septiembre de 1980.

de Europa occidental o de Norte América consume, en promedio, 3 200 calorías, otro de América Latina o del Caribe ingiere tan sólo 1 600. Es que los países industrializados, no sólo producen la mayor parte de los alimentos, sino que aún importan los "excesos" de producción de los países desnutridos. Uno de los casos más notables se registró en Perú cuando este país alcanzó a ser la primera potencia mundial pesquera. Su producción neta superó los 12 millones de toneladas anuales, volumen suficiente para cubrir el déficit proteico de toda la población latinoamericana. Sin embargo, esas enormes capturas fueron totalmente transformadas en harina de pescado y vendidas a los países ricos para alimentar aves de corral y otros animales domésticos, y aún, para abonar la tierra (véase p. 210).

Debe tenerse presente que la producción agraria de los países del Tercer Mundo se halla frenada, entre otras causas, por las oligarquías terratenientes y empresas transnacionales que acaparan tierras, por la baja inversión tecnológico-científica, la educación deficiente y el analfabetismo de las grandes masas campesinas que, en muchos casos, están unidas al minifundio.

La superficie cultivada del planeta alcanza actualmente a unos 1 200 millones de hectáreas, o sea, el 10% de los suelos aptos (descartando las regiones polares, los desiertos y las regiones montañosas). Paralelamente, ha habido una degradación alarmante de los ecosistemas naturales. Un ejemplo son las fértiles pampas de Argentina donde los agroecosistemas han desplazado virtualmente a una larga serie de animales autóctonos. Su desaparición no siempre ha obedecido a razones fundadas y lo cierto es que siempre se ha despreciado su potencial valor económico y ecológico. Esta "conquista del desierto" implicó la liquidación de las tribus de indios nómadas (pampas, tehuelches, araucanos) que las poblaron hasta las postrimerías del siglo pasado. Esos pueblos habían domesticado al caballo, luego de su introducción por los españoles, perfeccionando sus sistemas de caza y convirtiéndose en consumidores de carne vacuna. Junto a los animales silvestres, los indios se habían transformado en competidores de los estancieros. Como corolario, se desató una guerra de exterminio que concluyó con las poblaciones indígenas y con gran parte de la fauna silvestre. La oligarquía se consolidaba brutalmente mediante la conquista violenta sobre el hombre y la naturaleza.

Los progresos alcanzados por las ciencias agrarias y en especial, el logro de razas y variedades de animales domésticos y plantas cultivadas que aumentan considerablemente la productividad de los agroecosistemas, son factores clave en el aumento de la producción de alimentos, además de los abonos, herbicidas, insecticidas, nuevas técnicas de laboreo y racionalización en el uso de agua.

De esta situación han surgido nuevas contradicciones. Regiones muy tecnificadas invierten en la producción una cantidad de energía superior a la que se obtiene por las cosechas. Ese déficit, que proviene de la utilización de combustible fósil no renovable a corto plazo, crea serios problemas en una perspectiva cada vez más cercana. Sin embargo, esa alta inversión de energía en la producción agraria hace que en cada país desarrollado sólo el 5% de la población genere el total de los alimentos consumidos en ese país. La situación se invierte en los países subdesarrollados, donde a pesar de que la población rural puede llegar al 50% del total, no alcanza a generar los alimentos necesarios para toda la comunidad.

La producción total de alimentos en la biósfera se ve además afectada por problemas de erosión eólica e hídrica de los suelos, su salinización y anegamiento, contaminación de las áreas rurales y otros problemas concomitantes que se expondrán en los siguientes capítulos.

V. LÍMITES DEL CRECIMIENTO DE LA POBLACIÓN MUNDIAL

Todo ecosistema tiene una capacidad determinada de sostén según el nivel trófico que se considere. La biósfera también lo tiene pero, ¿cuál es su capacidad de sostenimiento de la población humana? El hombre ocupa el extremo de todas las pirámides tróficas y aún no ha sido estimado aquel sostén en forma fehaciente. Es que el hombre crea permanentemente nuevas tecnologías, nuevos sistemas de producción, nuevos sistemas sociales, que permiten un aumento incesante de la productividad y con ello, de eficiencia en la utilización de las fuentes energéticas, como la solar, la única que puede considerarse inagotable y única que puede ser utilizada por los organismos autótrofos.

Las estimaciones sobre la capacidad de carga de la biósfera son bastante diferentes. Aun en el ámbito de las Naciones Unidas, los cálculos son muy dispares. Mientras que el Comité de Población ha calculado aquella capacidad en 12 300 millones de habitantes, la FAO (Organización de las Naciones Unidas para la Agricultura y la Alimentación) hace elevar esas cifras a 50 o 60 mil millones. Por su parte la

Universidad de Harvard (Estados Unidos), considerando que la superficie cultivada puede llegar a 47 millones de km², (4 700 millones de hectáreas); que los rendimientos pueden elevarse a tal punto que 23 habitantes podrían alimentarse con lo producido por una hectárea (a razón de 2 500 calorías), hace elevar aquella cifra a 97 000 millones de habitantes.[24] Pero en el otro extremo de estas optimistas especulaciones, se encuentran Paul Ehrlich y sus colaboradores,[25] quienes consideran que "aun cuando en teoría, sea posible tolerar provisionalmente 8 000 millones de personas (se refiere a las estimaciones hechas sobre la tasa de crecimiento actual por las Naciones Unidas para el año 2010), el más superficial examen, inclusive, de las limitaciones ecológicas bajo las cuales trabaja la humanidad, y el lamentable fracaso de los sistemas políticos y sociales en producir una distribución equitativa y eficaz de los limitados recursos del mundo (sic), ponen en evidencia que es infinitamente remota la probabilidad de mantener 8 000 millones de personas para el año 2010..."

Sin embargo, si el rendimiento global de las cosechas y de la producción pecuaria de los países subdesarrollados, alcanzara los índices de productividad de los países desarrollados, resultaría posible alimentar a cerca de 10 000 millones de personas, sin aumentar la superficie cultivada actual. Las cosechas de trigo de los países subdesarrollados son cuatro veces inferiores, por unidad de superficie, a las de los países industrializados; la de maíz, dos veces y la de arroz tres veces.[26]

Los fundamentos que esgrimen los *limitacionistas* son convincentes desde el punto de vista ecológico: la biósfera sólo puede soportar cambios en su estructura hasta cierto límite, y los agroecosistemas son tan frágiles, que sólo es posible su sostenimiento con un gran esfuerzo continuado y mayores insumos de energía. Si se aplicase el modelo del crecimiento energético propuesto por la Fundación Ford (3-4% anual), el calor producido al cabo de un siglo, provocaría un desequilibrio tal que ya no sería posible mantener la estabilidad de la biósfera. Cuando la población crezca de 4 000 a 8 000 mi-

[24] P. R. Ehrlich y A. H. Ehrlich, *Población, recursos, medio ambiente. Aspectos de ecología humana*, Barcelona, Omega, 1975.
[25] P. Ehrlich y J. P. Holdren, "¿8 000 000 000 habitantes? Nunca llegaremos a esa cifra", *Foro del Desarrollo* 4 (3): 5, Naciones Unidas.
[26] I. P. Guerásimov (compilador), *El hombre, la sociedad y el medio ambiente*, Moscú, Academia de Ciencias de la URSS, Instituto de Geografía, Ed. Progreso, 1976.

llones quedarán muy pocos rincones del planeta sin transformar. En resumen, dicen Ehrlich y Holdren "creer que
pueda haber 8 000 millones de habitantes en el año 2010, es
lo mismo que creer en San Nicolás... Deberemos conside-
rarnos afortunados si el mundo pudiese soportar 4 000 millones en el año 2010..." En fin, no se trata únicamente
de amontonar gente, sino de tomar conciencia de que en el
mundo actual ya existen 1 000 millones de desamparados que
requieren una urgentísima solución a sus problemas. El
dilema parece claro: o se da pan a los hambrientos del mundo o la estabilidad de la biósfera corre riesgo de autodes-
trucción.

La Conferencia Mundial sobre Población de Bucarest

La Conferencia Mundial de Población, reunida bajo los aus-
picios de la ONU en 1974, debido a la posición mayoritaria de
los países subdesarrollados, aprobó el *Plan de Acción Mundial sobre Población* que resume y amplía posiciones anteriores de la Asamblea General, de convenios y convenciones, de
declaraciones y proclamas, así como de resoluciones de su
Consejo Económico y Social, de sus Comisiones económicas
regionales y de otras agencias como la UNCTAD, ONUDI, UNICEF,
FNUAP, PNUD, OIT, FAO, UNESCO, OMS y BIRF.[27]
El Plan reconoce, en primer lugar, que la formulación y
aplicación de políticas demográficas son derechos soberanos
de cada nación. Ello no excluye, sin embargo, la cooperación
internacional, que puede y debe desempeñar un papel importante dentro del marco impuesto por los principios sus-
tentados en la Carta de las Naciones Unidas.
El Plan deja sentados otros aspectos fundamentales del
problema. Se reconoce, por ejemplo, que las políticas demográficas deben incluirse en los programas de desarrollo
social, económico y cultural, tendientes a mejorar no solamente los niveles de vida, sino también la calidad de vida
de los pueblos. Nunca, se recomienda, las políticas demográficas deben sustituir a las políticas de desarrollo socioeconómico. Se reconoce, al propio tiempo, que un desarrollo de
esa naturaleza es incompatible con la dominación extranje-
ra, el colonialismo y el neocolonialismo, la ocupación de te-
rritorios, las guerras agresivas, la discriminación racial y
todas aquellas acciones que se opongan al desarrollo inte-

[27] Naciones Unidas, *Las Naciones Unidas y la población. Principales resoluciones e instrumentos*, Nueva York, 1976.

gral de las naciones. El Plan reconoce, al propio tiempo, la interrelación existente entre desarrollo y población, ya que cuando el crecimiento de la población no se halla en equilibrio con los factores sociales, económicos y ambientales, puede generar dificultades para lograr un desarrollo sostenido. La formulación democrática de objetivos y políticas de población no sólo debe tener presente los factores económicos y sociales, sino también la disponibilidad de los recursos naturales. Es que la demanda de éstos aumenta no sólo con el crecimiento demográfico, sino también con la elevación del nivel de vida, por lo que debe planificarse su equitativa distribución, evitando el despilfarro. Insiste el documento en la necesidad de incrementar la comprensión nacional e internacional sobre las complejas relaciones existentes entre población, recursos naturales, medio ambiente y desarrollo.

Sobre aquellas bases, y teniendo en cuenta los programas nacionales, la Conferencia estimó que el crecimiento de la población podría disminuir a 2% anual hacia 1985 en los países en desarrollo y a menos de 0.7% en los países desarrollados. Esa disminución debería ocurrir sobre la base de una drástica disminución de la morbilidad y mortalidad infantil, obligación de toda sociedad civilizada, como requisito fundamental previo de la disminución de la fecundidad.

Se reconoce en el documento la necesidad de asegurar que todas las parejas puedan tener el número de hijos que deseen y la necesidad de alcanzar las condiciones sociales y económicas que hagan posible la realización de ese deseo, reconociendo el derecho de las personas a decidir de manera libre, informada y responsable sobre el número de hijos a procrear. Este derecho sólo se adquiere con la implementación de programas y estrategias adecuadas conducentes a la educación en todas sus formas, incluyendo la sexual, instrucción sobre métodos sanitarios adecuados, higiénicos, etcétera.

La plena integración de la mujer al proceso de desarrollo, la promoción de la justicia social, la movilidad social y el desarrollo social, las amplias oportunidades educacionales, la eliminación del trabajo infantil y del maltrato de los niños, los programas de enseñanza académica y no académica, el desarrollo regional planificado y equitativo, los problemas derivados de la hipertrofia urbana, son cuestiones prioritarias cuando se trata de establecer programas demográficos.

Desde un punto de vista ético y moral, el Plan de Acción de la Conferencia de Bucarest es la fórmula más correcta a adoptar. Ejecutar la esterilización masiva de los indios bolivianos, brasileños, colombianos, guatemaltecos o mexicanos, como lo han venido haciendo los "cuerpos de paz", cuyas actividades han sido denunciadas por la prensa continental, es un hecho delictuoso que repugna a los sentimientos humanos. Pensar que el hambre, la miseria o la guerra atómica pueden determinar el control del crecimiento poblacional es todavía mucho más monstruoso.

Programas integrales de educación, vivienda, salud pública, recreación y deportes y otros servicios sociales, son medidas que han encarado resueltamente países con graves problemas poblacionales, entre ellos, México, con un índice de crecimiento de más del 3.5% anual y la República Popular China que si bien tiene un índice de crecimiento mucho menor (1.7%), tiene una población de 900 millones de habitantes. En fin, las políticas demográficas deben ir acompañadas del establecimiento de un nuevo orden económico internacional que respete los intereses de los países pobres, sus derechos sobre sus recursos naturales, para que dejen de ser privilegio y sostén del bienestar de los países desarrollados. Con esas y otras pautas similares, será posible llegar a la estabilización de la población humana.

VI. IMPACTOS DE LA POBLACIÓN HUMANA SOBRE EL MEDIO AMBIENTE

El incesante incremento de la población humana genera problemas medio-ambientales de características muy diferentes que van desde los impactos directos sobre los ecosistemas naturales, hasta la agudización de problemas sociales. Se pueden mencionar los siguientes:

1. Ocupación de mayores superficies, especialmente como consecuencia de la extensión de las manchas urbanas y la consiguiente transformación de agroecosistemas y ecosistemas naturales autotróficos en ciudades, metrópolis o megalópolis heterotróficas. Como ya se ha mencionado, los problemas generados por la creciente urbanización son aún más serios cuando el desarrollo es anárquico y no obedece a una planificación previa fundada en el respeto a la naturaleza y al hombre.

La ocupación del Valle de México es quizá uno de los ejemplos más dramáticos de América Latina. La ciudad, que se extendía por algunas decenas de kilómetros cuadrados a comienzos de siglo, actualmente cubre 1 000 km². Los sistemas agrarios se hallan en franco retroceso; la erosión eólica e hídrica afecta a más del 40% de las tierras del valle; la contaminación atmosférica supera varias veces el índice de lo soportable; la provisión de agua es cada día más costosa y debe sustraerse al regadío y a las poblaciones rurales, el consumo de energía supera las posibilidades de expansión; el caos del transporte automotor es alarmante; las enfermedades sociales se acrecientan y toda la ciudad parece haber tomado el camino que conducirá a su colapso total.

2. La mayor demanda de alimentos presupone la expansión de áreas destinadas a la agricultura y al pastoreo, y el consiguiente aumento de la productividad, que exige mayores gastos energéticos, inversiones financieras, investigaciones tecnológicas y mejoría de los sistemas educativos. El impacto sobre los ecosistemas naturales, de toda expansión agraria, no tarda en ponerse en evidencia: destrucción de pastizales, bosques y selvas y, por consiguiente, mayor inestabilidad de la biósfera. Se une a ello el aumento de la caza y de la pesca, que al sobrepasar las tasas de renovación de las poblaciones naturales, genera su degradación y hasta la extinción de especies.

En América Latina esta situación es más dramática debido a la caduca estructura agraria que perdura y no permite un desarrollo armónico sin deterioro del medio ambiente. Al mismo tiempo no se puede pedir a los millones de personas que sufren hambre el respeto por los recursos naturales. Ellos se ven obligados a comer *todo* lo que está a su alcance. Se dice que los perros y las ratas ya son raros en Haití... ¡Cómo será la situación de la fauna silvestre!

Mientras tanto la región debe importar la mayor parte de sus alimentos. En la década de 1970, los países de la ALALC (Asociación Latinoamericana de Libre Comercio) importaron el 65% del trigo; el 67.4% de la cebada; el 75% de las fibras vegetales; el 97% de los productos lácteos; el 97% del tabaco; el 88% de la pulpa de madera; el 94% de pescados y mariscos; el 74% de cueros y pieles y el 81% de los aceites vegetales.[28] ¡No sería de extrañar que muchos de estos productos hayan salido como materias primas y reingresado como productos industrializados!

3. El aumento de la población demanda mayor cantidad de productos industriales y nuevos servicios (educación, salud pública, transportes, comunicaciones). Éstos generan mayores cantidades de desechos que, al no ser reciclados, aumentan la degradación ambiental.

En conferencia de prensa ofrecida por el comandante Fidel Castro, en oportunidad de su visita a México (Cozumel, 17-5-79), expresó: "y nosotros que estamos enfrentados a las

[28] R. Segre, *ibid.*, 1977.

responsabilidades de nuestros pueblos, sabemos lo que son las explosiones demográficas: en los primeros años de nuestra revolución ocurrió una explosión demográfica en Cuba, y no fue tan grande como la mexicana, porque era una explosión del 2.5% y la de México ha sido hasta de más del 3%, y cuando llegó la hora de buscar escuelas y la hora de buscar hospitales y asistencia social para esa masa de jóvenes, los esfuerzos que tuvimos que hacer fueron gigantescos. No nos alcanzaba. Construimos cientos de escuelas y no nos alcanzaban, y ahora mismo todavía estamos viendo las consecuencias de esa explosión demográfica cuando tenemos que buscar empleo a todos, y tenemos que hacer un esfuerzo colosal . . ."

CAPÍTULO 4

LA CONTAMINACIÓN AMBIENTAL

"El subdesarrollo es la principal causa de contaminación..." JOSUÉ DE CASTRO

Existe contaminación ambiental (del gr. *contaminatio* = corromper) o polución (del lat. *pollutus* = sucio, inmundo) cuando la entrada de sustancias exógenas a los ecosistemas naturales, los agroecosistemas o los ecosistemas urbanos, provoca alteraciones en su estructura y en su funcionamiento.

Las actividades humanas envían diariamente a la biósfera miles de toneladas de residuos que de una u otra forma se incorporan a los ciclos naturales biogeoquímicos. En muchas ocasiones se trata de sustancias inocuas, en otras de productos fácilmente degradables por la actividad bacteriana; pero, en ciertos casos, las sustancias contaminantes no se degradan, persisten y circulan a través de las cadenas tróficas. Se suman a ellas los desperdicios y máquinas en desuso (metales, plásticos, vidrios, madera, tejidos) que se acumulan por doquier.

Los efectos de la contaminación se manifiestan por desequilibrios en la estructura de los ecosistemas, generación y propagación de enfermedades en los seres vivos (reducción de su capacidad vital), muerte masiva de individuos y aun, en los casos más extremos, desaparición de especies animales y vegetales, anulación de sistemas productivos y degradación de la vida humana.

La biósfera recibe múltiples impactos contaminantes en todos sus ambientes: en la atmósfera (aerocontaminación), en las tierras firmes (geocontaminación) y en las aguas continentales y oceánicas (hidrocontaminación), además de la polución propia de los asentamientos humanos.

Existe la tendencia a considerar que la contaminación es una consecuencia del desarrollo de grandes urbes o de inmensos complejos industriales, o bien de la utilización excesiva de sustancias químicas en los agroecosistemas. Ésos son algunos aspectos de la polución ambiental. En la otra cara de la moneda se inscriben el hambre y la miseria que padecen millones de seres que viven en asentamientos humanos insalubres con múltiples manifestaciones de postración y degradación. Ésta es la forma de contaminación más generalizada en el mundo y es consecuencia directa del subdesarrollo y de la injusticia social. Los tremendos desequilibrios económicos y sociales que se advierten en la mayoría de los países del Tercer Mundo, se transforman en una seria amenaza para la estabilidad de la biósfera. Las acciones contra la contaminación no significan solamente la aplicación correcta de tecnologías que eviten la polución del aire, de las aguas y de los suelos, sino también aquellas encaminadas a dignificar la vida humana y a liberar de la explotación y de la dependencia a los países coloniales y neocoloniales.

Se pueden identificar tres fuentes principales de contaminación:

1. *La actividad industrial.* Para los países desarrollados el principal factor de contaminación es el incesante crecimiento industrial, la concentración urbana y la utilización masiva de abonos, pesticidas y herbicidas en agroecosistemas. Aunque en forma más limitada estas características son propias de los polos de desarrollo industrial y agroindustrial en algunos países de América Latina (Argentina, Brasil, México, Venezuela).

2. *El subdesarrollo* que genera, como se dijo, sus propias formas de contaminación, entre ellas la miseria con toda su secuela de hambre, desnutrición y enfermedades endémicas y epidémicas favorecidas por condiciones de vida infrahumanas.

3. *Las acciones bélicas.* No solamente hay contaminación derivada de la guerra en sí misma sino también de su preparación. Sus manifestaciones más devastadoras se han producido durante la segunda guerra mundial, en especial los bombardeos atómicos de Hiroshima y Nagasaki; y en la posguerra por los conflictos bélicos regionales y las pruebas de armas nucleares, químicas y bacteriológicas. La degradación ambiental por estas causas tuvo su máxima expresión en el genocidio y ecocidio de Indochina (Vietnam, Laos y Cambodia).

I. LOS LÍMITES DE LA CONTAMINACIÓN

La contaminación ambiental no reconoce fronteras. La biósfera, como ya hemos dicho, es un grande y único ecosistema por el que transita en forma permanente la materia en todas sus formas. La circulación atmosférica, los ríos y las corrientes oceánicas se encargan de diseminar los contaminantes por todas las latitudes. Restos de hidrocarburos, radionúclidos y productos industriales se encuentran afectando la vida en los más recónditos lugares.

En 1954 se produjo el recordado ensayo atómico en el atolón de Bikini (océano Pacífico oriental). Poco después una imperceptible lluvia de sustancias radiactivas comenzó a caer sobre una amplia región del océano, incluyendo algunas islas de la Polinesia. Investigaciones oceanográficas japonesas y norteamericanas revelaron, al cabo de poco tiempo, cómo esas sustancias se incorporaban a las cadenas tróficas a través del fitoplancton para llegar a los peces comerciales. Años más tarde, las explosiones atómicas francesas en los atolones polinésicos generaron un aumento considerable de la radiactividad en las costas de Chile y Perú donde existe una de las pesquerías más grandes del mundo.

Las lluvias radiactivas son particularmente importantes en las latitudes medias. Los residuos que llegan a la estratósfera regresan luego a la tropósfera para depositarse más tarde en la superficie de la Tierra. Se estima que el polvo radiactivo levantado por la explosión atómica en la atmósfera tarda diez años en concluir su asentamiento sobre la superficie terrestre.

La diseminación de las partículas radiactivas en la tropósfera es tan rápida que pueden dar la vuelta al planeta en un período que oscila entre los 15 y los 25 días. Como consecuencia de una explosión nuclear china ocurrida en 1975 en Lop Nor (40 LN y 90 LE) los residuos radiactivos dieron la vuelta al mundo en unas tres semanas a una velocidad media de 16 m/s. Precipitaciones radiactivas fueron detectadas en Tokio (36 LN y 140 LE) y en Arkansas (EU) (36 LN y 94 LW).[1]

En las grasas de pingüinos, focas y otros animales antárticos han sido identificadas moléculas de DDT aun cuando ese insecticida no se utiliza en aquellas latitudes. Las corrientes atmosféricas y oceánicas procedentes de las bajas latitudes entroncan con la corriente circunantártica y diseminan tanto el DDT como otras sustancias de origen industrial.

La lluvia ácida es uno de los más graves problemas ambientales en América del Norte. Originada en la contaminación atmosférica que producen los grandes centros industriales, la precipitación de ácidos, azufre, plomo, etc., en el oriente canadiense, pone en peligro extensas áreas de cultivo y la vida acuática de centenares de lagos, especialmente en la provincia de Ontario.

[1] E. D. Goldberg, *La salud de los océanos*, París, UNESCO, 1979.

Resulta claro que ciertos problemas de contaminación no pueden ser tratados aisladamente. Por el contrario, deben ser atacados en el ámbito general de los intereses internacionales. Ésa es la razón por la cual la ONU es tribuna permanente de discusión sobre los problemas del deterioro del medio ambiente y coordina, por ejemplo, un programa multinacional como el que trata sobre la contaminación del mar Mediterráneo.[2]

II. CONTAMINACIÓN URBANO-INDUSTRIAL

Algunos antecedentes históricos

Aun antes de la era industrial existieron áreas contaminadas dentro de los asentamientos humanos. No habría más que mencionar las condiciones de vida y la insalubridad que existía en las ciudades de la Edad Media, generadoras de grandes epidemias que remontan sus antecedentes históricos al Imperio romano (siglo VI). *La muerte negra* fue la más célebre de las epidemias europeas; hacia mediados del siglo XIV se abatió sobre todo el continente afectando, por lo menos, a una cuarta parte de la población. La *peste*, como se le ha dado en llamar, se manifestó en forma de neumonía, inflamación de los ganglios linfáticos (peste bubónica) y septicemia. El vector del *Bacillus pestis* fue la pulga de las ratas que pululaban en las ciudades.

Los brotes epidémicos fueron repitiéndose cíclicamente. La ciudad de Londres soportó su azote unas 20 veces durante el siglo XV y Venecia 23 entre los siglos XIV y XVI. La mayor parte de las veces las pestes iban acompañadas de brotes de tifus, sífilis y gripe. Algunas ciudades perdieron hasta el 50% de su población.

Con el advenimiento de la era industrial se inicia un nuevo proceso de concentración urbana. Los problemas ambientales se agudizan. El costo social que se ha pagado por esta transformación ha sido enorme. Un relato vívido de las condiciones de existencia del naciente proletariado industrial se encuentra en la obra de F. Engels (1845) *La situación de la clase obrera en Inglaterra* (México, Ed. de Cultura Popular, S. A., 1974) en donde hace referencia a los *barrios feos* de ciudades

[2] P. M. Henry *et al.*, *El Mediterráneo: un microcosmos amenazado*, Barcelona, Blume, Ecología, Ambio núm. 7, 1979.

como Londres, Liverpool, Manchester y Glasgow. Decía textualmente Engels: "En Inglaterra, estos 'barrios feos' están más o menos dispuestos del mismo modo en todas las ciudades: las casas peores están en la peor localidad del lugar; por lo general, son de uno o dos pisos, en largas filas, posiblemente con los sótanos habitados e instalados irregularmente por doquier. Estas casitas de tres o cuatro piezas y una cocina, llamadas *cottages*, son en Inglaterra, y con excepción de una parte de Londres, la forma general de la habitación de toda la clase obrera. En general, las calles están sin empedrar, son desiguales, sucias, llenas de restos de animales y vegetales sin canales de desagüe y, por eso, siempre llenas de fétidos cenagales. Además, la ventilación se hace difícil por el defectuoso y embrollado plan de construcción, y dado que muchos individuos viven en un pequeño espacio, puede fácilmente imaginarse qué atmósfera envuelve a estos barrios obreros. Por último, cuando hace buen tiempo, se extiende la ropa a secar sobre cuerdas tendidas de una casa a otra, perpendicularmente a la calle."

Al describir el barrio de St. Giles (Londres) decía Engels: "Es un amontonamiento desordenado de casas altas, de tres o cuatro pisos, con calles estrechas y sucias, curvas, en las cuales el movimiento es tan grande como en las principales calles de la ciudad, con la única diferencia que en St. Giles se ven sólo personas de la clase obrera. En las calles está el mercado; cestos de verdura y fruta, naturalmente todas de mala calidad, apenas aprovechables, restringen aún más el paso, y de ellas, como de los puestos de los vendedores de carne, emana un olor horrible. Las casas están habitadas desde el sótano hasta el desván, sucias por fuera y por dentro, hasta el punto que por su aspecto parecería imposible que los hombres pudieran habitarlas. Y todavía esto no es nada, frente a las habitaciones que se ven en los patios estrechos, y en las callejuelas dentro de las calles, a las que se llega por pasajes cubiertos, entre las casas, y en las que la suciedad y el estado ruinoso de las fábricas supera toda descripción; no se ve casi ningún vidrio en las ventanas, las paredes están rotas, las puertas y las vidrieras destrozadas y arrancadas, las puertas exteriores sostenidas por viejos herrajes o faltas del todo; aquí, en este barrio de ladrones, las puertas no son de ningún modo necesarias, al no haber nada para robar. Montones de suciedad y de ceniza se encuentran a cada paso, y todos los desechos líquidos echados en las puertas se acumulan en fétidas cloacas. Aquí habitan los pobres entre los pobres; los trabajadores peor pagados con los ladrones; los explotadores y las víctimas de la prostitución, ligados entre sí; en su mayor parte, son irlandeses o descendientes de irlandeses, que todavía no se han sumergido en la vorágine de la corrupción moral que los rodea, pero que cada día descienden más bajo y pierden la fuerza de resistir a la influencia desmoralizadora de la miseria, de la suciedad y de los compañeros disolutos."

Aquella situación que describe Engels ha cambiado en los países desarrollados. Sin embargo el proceso de crecimiento industrial ha generado nuevas formas de polución que, sin ser tan espectaculares, generan alteraciones ambientales que ponen en peligro la salud de millones de personas. Por otra parte, las descripciones de Engels, ¿difieren mucho de la situación actual en que viven millones de habitantes de los países del Tercer Mundo?

El drama de la contaminación nació en América Latina junto con su descubrimiento. Las condiciones de trabajo que imperaron en las plantaciones y en las explotaciones mineras fueron brutales y en muchos casos aún perduran. En la obra de Galeano[3] se podrán encontrar múltiples ejemplos entre los que cobra dramatismo el referido a las minas de plata de Potosí (Bolivia). Dice Galeano: "Los españoles batían cientos de millas a la redonda en busca de mano de obra. Muchos indios morían por el camino, aun antes de llegar a Potosí. Pero eran las terribles condiciones de trabajo en la mina las que más gente mataban... Las glaciales temperaturas de la intemperie alternaban con los calores infernales en lo hondo del cerro... La *mita* era una máquina de triturar indios. El empleo del mercurio para la extracción de la plata por amalgama envenenaba tanto o más que los gases tóxicos en el vientre de la tierra. Hacía caer el cabello y los dientes y provocaba temblores indominables. Los *azogados* se arrastraban pidiendo limosna por las calles. Seis mil quinientas fogatas ardían en la noche sobre las laderas del cerro rico y en ellas se trabajaba la plata valiéndose del viento que enviaba el 'glorioso San Agustino' desde el cielo... A causa del humo de los hornos no había pastos ni sembradíos en un radio de seis leguas alrededor de Potosí... y las emanaciones no eran menos implacables con los cuerpos de los hombres..." Y continúa más adelante: "pero en nuestros días pueden verse, por todo el altiplano andino, changadores aimaraes y quechuas cargando fardos hasta con los dientes a cambio de un pan duro. La neumoconiosis había sido la primera enfermedad profesional de América; en la actualidad, cuando los mineros bolivianos cumplen treinta

[3] E. Galeano, *Las venas abiertas de América Latina*, México, Siglo XXI, 1979.

y cinco años de edad, ya sus pulmones se niegan a seguir
trabajando: el implacable polvo de sílice impregna la piel
del minero, le raja la cara y las manos, le aniquila los sen-
tidos del olfato y el sabor, y le conquista los pulmones, los
edurece y los mata..."

Contaminación urbanoindustrial, transnacionales y libre empresa

La mayor parte de las industrias, en especial la petrolera, la
nuclear, la petroquímica, la textil y la papelera, generan productos de desperdicio que se incorporan a los ciclos biogeoquímicos. En el mejor de los casos son acumulados en lugares
reservados de la biósfera con lo cual se mantienen como
una bomba de tiempo. Sin embargo una parte importante
de ellos podrían ser controlados y reutilizados, a no ser el
escape de ciertos radionúclidos de centrales nucleares. Además existen las tecnologías adecuadas. ¿Por qué no se utilizan? Pues, porque no resulta lucrativo.

Para controlar la contaminación de origen industrial muchos países han elaborado leyes de defensa del medio ambiente. Desde mediados del siglo pasado Gran Bretaña tiene
una legislación al respecto. Sin embargo la realidad muestra que en muy pocos casos las leyes, reglamentos o decretos
son realmente efectivos. Las soluciones tecnológicas no se
aplican, y en muchos países se producen flagrantes violacio-
nes que los transforman en letra muerta. Es que existe una
evidente contradicción entre producción y contaminación
ambiental en el sistema de libre empresa. La producción capitalista persigue la obtención de máximas ganancias con la
menor inversión y en el plazo más breve. Para alcanzar esos
objetos se introducen tecnologías competitivas que aumentan la productividad pero que, en un gran número de casos,
aumentan también la polución ambiental. Si alguna de las
empresas realiza inversiones suplementarias anticontaminantes, aumentan sus costos de producción lo que puede ocasionar una sensible disminución de sus ventas o bien una
reducción de sus ganancias. Pensar en el altruismo de los
libre-empresistas es igual que pedirle *peras al olmo*. El ex
presidente de los Estados Unidos, Richard Nixon, lo expuso
con toda claridad en uno de sus mensajes al congreso:
"...siempre que sea factible, los costos de los artículos deben
incluir los gastos originados tanto en su fabricación, como
en la eliminación de los residuos perjudiciales al medio ambiente". Se cita al ex presidente Nixon porque fue él quien

lanzó una célebre campaña contra la contaminación en 1972. La pretensión de Nixon era liberar a las empresas de sus responsabilidades ante la sociedad por la degradación ambiental, cuando en realidad deberían ellas pagar *los platos rotos.*

En un sistema económico donde la relación costos-beneficios es una inversión de miles de millones de dólares en el control de la contaminación [4] aumentaría considerablemente el ritmo inflacionario, sin un incremento en la productividad. La única alternativa que se presenta sería considerar las inversiones anticontaminantes conjuntamente con otras de carácter social (salario familiar, vacaciones, jubilación) pero ello resulta contrario a los intereses de la libre empresa y en especial a las transnacionales.

Resulta evidente que para el mundo capitalista, tal cual está estructurado en el momento actual, no queda otra alternativa que seguir envenenando el medio ambiente. Como dice Commoner "contrariamente a la tecnología simple, las técnicas indispensables para el control de la contaminación no proporcionan ninguna plusvalía en el proceso de producción de mercancías comercializables".[5]

La imperiosa necesidad de la protección ambiental se encuentra en brusca colisión con las teorías del crecimiento continuo, pivote fundamental en que gira la producción capitalista. Según estima el economista G. F. Bloom [6] "...desde la óptica de la productividad, casi no parece haber conciencia de que este problema exige una solución urgente. Las empresas han subestimado el peligro de una destrucción de las bases de la producción, y están poco preocupadas, por lo tanto, por emprender la lucha contra la contaminación".

Sin embargo, en algunos países capitalistas desarrollados se han implementado medidas anticontaminantes muy efectivas. Un ejemplo notable es el de la ciudad de Londres en donde la crisis ambiental había llegado a grados sumamente críticos. La famosa niebla londinense, transformada en

[4] B. Commoner, *L'encerclement*, París, Ed. du Seuil, 1972.
[5] El Council on Environmental Quality, ha estimado que el costo total del control de la contaminación atmosférica en los Estados Unidos (1975) sería del orden de los 16 billones de dólares anuales, y el costo de la purificación de las aguas negras en 5.8 billones de dólares anuales. Por otra parte los representantes de 15 países de la cuenca del mar Mediterráneo y de la Comunidad Económica Europea, estimaron en 1980 que el saneamiento de ese mar interior demandaría un costo de 10 a 15 billones de dólares en un período de 10 a 15 años.
[6] G. F. Bloom, "Productivity, weak link in our economy", en *Business Rev.*, enero de 1971.

smog (mezcla de niebla y humos) llegó a causar anualmente centenares de muertes. En 1952 se registraron unos 4 000 casos fatales. Entonces el gobierno británico tomó algunas medidas drásticas entre las que se destacaron la prohibición para usos domésticos de calefactores que queman carbón de piedra. Los beneficios no tardaron en advertirse: el pelaje de los osos del Jardín Zoológico de la ciudad recobró su blancura; en invierno llega un 50% más de luz solar y desde 1963 no ha habido en los hospitales internación de personas afectadas por el *smog*. El tratamiento de las aguas cloacales que se vuelcan al río Támesis ha posibilitado la recuperación del ecosistema, tanto que unas 50 especies de peces han vuelto a poblar sus aguas. ¿No sería la situación tan grave que ya afectaba al Buckingham Palace?

Otros ejemplos dignos de mención son los del estado de California, Estados Unidos, donde su gobernador E. Brown Jr. desarrolló una intensa campaña ambientalista; el de la República Federal de Alemania que ha puesto en marcha medidas sanitarias que posibilitarán la recuperación de las aguas contaminadas del río Rhin; y las reglamentaciones sobre la restricción al uso de automóviles en el radio céntrico de algunas grandes ciudades italianas (Roma, Bolonia).

La política ambientalista de los países capitalistas desarrollados tiene sus consecuencias indirectas sobre los países subdesarrollados. En este sentido reviste particular importancia la transferencia de tecnologías obsoletas (prohibidas en los países centrales) a los países subdesarrollados, ávidos de capitales y que Szekely muy acertadamente ha llamado "transferencia de la contaminación".[7]

Ejemplos dramáticos se registran en la frontera mexicano-norteamericana donde industrias de los Estados Unidos se han establecido con el objeto aparente de evadir las rígidas leyes sobre higiene del trabajo y protección ambiental que reglamentan su funcionamiento en su propio país. El periódico *Excelsior*, (México, D. F., 4 de julio de 1978) informa el caso de la American Asbestos Textiles Corporation (AMA-TEX) de Morristown, Pennsylvania, que ha construido dos plantas de producción de amianto, una en Ciudad Juárez (Chihuahua) y la otra en Agua Prieta (Sonora). Con anterioridad operaba en Tyler (Texas) donde fue clausurada debido a la muerte de 25 obreros víctimas de cáncer de pulmón y la incapacitación de otros 175. Los polvos generados en la fabricación de productos de amianto determina que uno de cada cinco obreros muera de cáncer de pulmón y uno de cada

[7] F. Szekely, "Pollution for export", en *Mazingira* núm. 3/4, 69-75, Nairobi, PNUMA, 1977.

12 pueda morir de abestosis (inflamación crónica de pulmón) o de mesothelioma, un tipo raro de cáncer que afecta las membranas cardiacas, pulmonares, estomacales o intestinales.

Los países del Tercer Mundo se hallan, por lo general, desamparados por la falta de una adecuada legislación que permita frenar este tipo de atentados ya que, según el propio Szekely [8] "la legislación ambiental efectiva en la región (América Latina y el Caribe) no existe" por lo que muchas transnacionales operan impunemente, aun vendiendo productos cuya comercialización se encuentra prohibida en los países donde se originó la tecnología. De acuerdo con la misma fuente, entre los años 1971/1976 no menos de 43 países en desarrollo importaron más de 13 mil toneladas de *phosvel*, un pesticida altamente tóxico fabricado en los Estados Unidos y que nunca fue vendido en el mercado interno.

CUADRO VIII

PHOSVEL IMPORTADO POR ALGUNOS PAÍSES EN EL PERÍODO 1971-1976 (en miles de kilogramos) [9]

Australia	57
Canadá	124
Colombia	151
Egipto (RAU)	3 027
España	56
Etiopía	96
Guatemala	254
India	76
Indonesia	944
Japón	377
México	151
Taiwán	102
Turquía	55
Venezuela	52

En 1980 se producían en el mundo unas 1 000 ton de pesticidas, un 97% de los cuales en los países capitalistas industrializados. Mediante una enorme cadena de filiales y subsidiarias grandes compañías como la Dow, Shell, Ciba-Geigy,

[8] *Ibid.*
[9] F. Szekely, "Pollution for export", en *Mazingira* núm. 3/4, Nairobi, PNUMA.

Bayer, Dupont y Union Carbide, por citar solamente algunas, vendían a los países del Tercer Mundo el 20% de su producción, especialmente aquellas sustancias que habían sido prohibidas en los países desarrollados por su carácter cancerígeno, esterilizante, neurítico y generador de enfermedades congénitas. Estos productos son utilizados sin precauciones previas en los países subdesarrollados por lo que la contaminación se extiende por todo el medio ambiente humano. Es así como la leche de vaca en Guatemala tiene 90 veces más DDT que en los Estados Unidos; los habitantes de Nicaragua y Guatemala tienen 31 veces más DDT en la sangre que los norteamericanos y según la OMS, 500 000 personas por año sufren intoxicaciones por pesticidas de los cuales 5 000 son casos fatales.[10]

Otro ejemplo lo constituye el petróleo con alto contenido en azufre y poder contaminante, que es refinado en las Antillas Holandesas y Trinidad-Tobago, mientras que los subproductos son vendidos en los Estados Unidos (la legislación norteamericana prohíbe su refinación en territorio nacional). Los ejemplos podrían ser interminables para todos los países de la región.

"La tecnología no es ni buena ni mala. Es su utilización la que le da un sentido ético." Con estas palabras J. de Castro[11] destaca que si bien cierta tecnología ha actuado contra los pueblos del Tercer Mundo, se ha debido al hecho de estar al servicio de su explotación. El sistema colonialista y neocolonialista ha generado grandes problemas ambientales tanto en los asentamientos humanos como en los ecosistemas naturales y cultivados. Sin embargo resulta improcedente pretender frenar el desarrollo escaso que han obtenido los países del Tercer Mundo culpando a la moderna tecnología de los males que padecen. Lo que se requiere es un sentido ético de su aplicación.

Contaminación urbanoindustrial y socialismo

La preocupación de los teóricos del socialismo por el medio ambiente radica en los propios orígenes de su ideología. En este mismo capítulo se citaron pasajes de una de las obras de F. Engels que mencionan el deterioro del medio ambiente

[10] D. Cir y M. Schapiro, "Medio ambiente: círculo de veneno", en El Día, México, 2 de noviembre de 1980.
[11] Josué de Castro, "El subdesarrollo primera causa de contaminación", en El Correo de la UNESCO, París, 1972.

humano en las ciudades inglesas a mediados del siglo pasado. Esas observaciones fueron complementadas especialmente en su obra *Dialéctica de la naturaleza* (México, Grijalbo, 1961) cuando observa que: "tanto de cara a la naturaleza como a la sociedad, en las formas de producción actual no se considera con atención más que los resultados inmediatos, los más tangibles; y después nos asombramos de que las consecuencias ulteriores de las acciones sean bien distintas de las previstas, y muy frecuentemente radicalmente opuestas".

Por su parte K. Marx también advirtió sobre la degradación ambiental y destacó que el desarrollo anárquico generaba eriales, y puso de manifiesto las consecuencias catastróficas que sobre el río Támesis (Londres) tenía la contaminación doméstica. En forma reiterada, se refirió a la necesidad de acentuar los esfuerzos encaminados al reciclaje de las sustancias de desperdicio.[12]

Éstas y otras concepciones ambientalistas, que pueden hallarse en la abundante bibliografía marxista, fueron llevadas a la práctica por V. I. Lenin, en las primeras epocas de la Revolución rusa. Se tomaron ya entonces medidas proteccionistas de la naturaleza (conservación de la fauna y de la flora de ríos, mares y bosques, y creación de parques nacionales).

Sin embargo los problemas derivados de la contaminación ambiental y del deterioro de los recursos naturales debido al impetuoso desarrollo industrial no han sido totalmente resueltos ni en la URSS ni en las otras naciones socialistas. Al analizar la problemática del medio ambiente en estos países deben tenerse presentes las circunstancias históricas en que se han desarrollado los procesos revolucionarios: guerras, bloqueos, aislamiento comercial, carrera armamentista, urgencias de desarrollo económico y social, emulación con los países capitalistas. En la Unión Soviética y en la República Popular China por ejemplo, se han realizado ensayos atómicos atmosféricos y se continúa (en la URSS) con las pruebas subterráneas. La defensa del ecosistema del lago Baikal, una reliquia limnológica, dio origen a un movimiento general de protesta en contra de la decisión de volcar en sus aguas desperdicios de la industria papelera. En Cuba existen industrias cementeras y de fertilizantes que contaminan la atmósfera y las aguas superficiales en Nuevitas (Camagüey); la bahía de La Habana se halla fuertemente poluida. En los países socialistas europeos (Checoslovaquia, Polonia, etc.), también se advierte la existencia de contaminación industrial.

[12] K. Marx, *op. cit.*, t. III, vol. 6, pp. 123 *ss*.

La referencia a los países capitalistas desarrollados planteó que las tecnologías para controlar la contaminación existen pero que su aplicación significaría inversiones de tipo social que limitarían las ganancias especulativas de la libre empresa. Las sociedades socialistas cuentan con mayores posibilidades de control ambiental debido a que sus inversiones tienen fundamentalmente, un carácter social.

A fines de la década de los años sesenta la URSS actualizó las reglamentaciones sobre el uso de los recursos naturales que han sido complementadas por un amplio programa de protección ambiental incluido en el plan quinquenal de 1976/1980 y que significará inversiones estimadas en los once mil millones de rublos (unos diez y seis mil millones de dólares) que incluye el control de las sustancias contaminantes, la reducción de los efectos de las basuras sobre el medio ambiente, la protección de los suelos, etcétera.[13]

En Cuba, se toman medidas cada vez más importantes en defensa del medio ambiente natural y el medio ambiente humano. Como es ampliamente conocido ha sido preocupación fundamental de la Revolución cubana combatir enérgicamente la contaminación por miseria, alcanzando en este aspecto notables logros. La polución originada en las industrias, en el uso de insecticidas y de fertilizantes es una preocupación constante de sus dirigentes. Con el apoyo de la ONU (PNUD - PNUMA - UNESCO) se encaran en la actualidad los estudios básicos que harán posible el control de la contaminación de la bahía de La Habana, un problema cuyo origen se remonta a las épocas de la colonia.

En la República Popular China parecen haberse obtenido algunos logros importantes en la preservación del medio ambiente. Ha contribuido a ello, seguramente, una cultura milenaria de íntimo contacto con la naturaleza, su organización social en comunas campesinas y la adopción de tecnologías tradicionales que permiten el reciclaje de los desechos. Entre los éxitos más importantes se encuentra la erradicación de la esquistosomiasis que afectaba a unos diez millones de personas.

---

[13] Volkov G., The "ecological crisis" and the socialist use of nature, Ser. Social Science Today, Ed. Board, USSR Academy of Sciences, Moscú, 1977.

III. CONTAMINACIÓN DEL SUBDESARROLLO

"El subdesarrollo es la principal causa de contaminación" decía J. de Castro.[14] En los países del Tercer Mundo, en general, y en los países de América Latina y el Caribe, en particular, ello es dramático: hambre y desnutrición, enfermedades endémicas y miseria, déficit habitacional y promiscuidad, insalubridad pública y degradación moral. Las callampas de Chile, las villas miserias de Argentina, las favelas de Brasil, las ciudades perdidas de México, las vecindades de Venezuela, los cantegriles de Uruguay, son sinónimos de hacinamiento y polución.

¿Se puede pedir mayor grado de contaminación que el existente en estos asentamientos humanos donde vive el 50% de la población latinoamericana?

Las aguas negras y los basureros se acumulan en pantanos, calles y baldíos. Enfermedades parasitarias tales como amebiasis, paludismo, triquinosis, ascariosis, cisticercosis, anquilostomiasis y de Chagas afectan, en ciertos casos, a más de 90% de sus habitantes. La mortalidad y la morbilidad infantil son altísimas y las expectativas de vida no superan, en algunas regiones, los 50 años. La delincuencia en todas sus formas y el criminalismo alcanzan cifras relevantes al igual que los delitos sexuales. La prostitución y la drogadicción son formas corrientes de escapismo, cuando no un vil negocio, a situaciones, en apariencia, sin salida.

Sería interminable, y por otra parte reiterativo, describir situaciones que ya han sido consideradas por sociólogos, médicos sanitaristas o políticos. Pero hay que enfatizar que esta forma de contaminación es por lo general ignorada por los analistas europeos y norteamericanos, cuya óptica difiere sustancialmente de la que se puede tener cuando se está inmerso en el mundo del subdesarrollo.

En los países desarrollados existen corrientes de opinión que sustentan la tesis de que la contaminación es causa de la tecnología y del crecimiento económico. Es común oír a estadistas, parlamentarios, funcionarios estatales, científicos y técnicos, a los que se han unido en los últimos tiempos los *movimientos ecologistas*, clamar en contra del crecimiento demográfico, la polución de los mares, ríos, aire y suelo pero, por lo general, no consideran los efectos contaminantes de la miseria. Al respecto dice Josué de Castro: [15] "El primer error grave, la primera conclusión falsa que se deriva de esta visión parcial del problema es la afirmación, muy gene-

[14] J. de Castro, *ibid.*, 1972.
[15] J. de Castro, *ibid.*, 1972.

ralizada, de que es en las regiones más ricas donde han aparecido, a causa del crecimiento económico, los primeros efectos de la contaminación y de la degradación del medio ambiente. La realidad es distinta: los primeros y más graves efectos del desarrollo se han manifestado precisamente en aquellas regiones que hoy están económicamente subdesarrolladas y que ayer eran políticamente colonias. El subdesarrollo que reina en estas regiones es el primer producto del desarrollo desequilibrado del Mundo. El subdesarrollo representa un tipo de contaminación humana localizado en algunos sectores abusivamente explotados por las grandes potencias industriales del mundo.

"El subdesarrollo no es, como muchos piensan equivocadamente, insuficiencia o ausencia de desarrollo. El subdesarrollo es un producto o un subproducto del desarrollo. Una derivación inevitable de la explotación económica colonial o neocolonial, que sigue ejerciéndose sobre muy diversas regiones del planeta."

Para los países subdesarrollados la polución por miseria es dramáticamente más generalizada que la contaminación de origen industrial. El hambre que afecta en sus diversas formas al 75% de la población de América Latina y el Caribe es, con todas sus secuelas, una manifestación del desequilibrado crecimiento mundial de la economía del cual, los países productores de materias primas, son los que han quedado relegados. El hambre es, por sí misma, no solamente la peor de las calamidades humanas, sino causa de degradación de muchos ecosistemas naturales y sobrexplotación de ciertos recursos. Se constituye de ese modo en una amenaza constante para el equilibrio de la biósfera.

Entre las enfermedades carenciales (falta de minerales, vitaminas o proteínas), especialmente en regiones tropicales y subtropicales, se pueden mencionar, entre otras, la anemia, debida generalmente a la falta de hierro; el bocio endémico por ausencia de yodo; el kwashiarkor, grave insuficiencia de proteínas; el marasmo, deficiencia calórica, y la xeroftalmia, falta grave de vitamina A (fuente: Organización Mundial de la Salud).

Brotes periódicos de hambre aguda suelen producirse en países del Tercer Mundo habiendo sido especialmente graves en África y Asia (Biafra, Etiopía, Bangladesh), aún más que en América Latina (noreste del Brasil).

Pero el hambre es sólo uno de los aspectos de la contaminación generada en el subdesarrollo. En medicina sanitaria, por ejemplo, se considera que las enfermedades son el resultado de la interacción entre el agente, el hospedador y el medio ambiente. En los países subdesarrollados el medio ambiente humano se degrada a tal punto que llega a generar focos infecciosos por la falta de abastecimiento de agua potable, de redes cloacales, de alcantarillado, de recolección de basuras, etc. Según el Anuario Estadístico de las Naciones Unidas (1971), solamente contaban con instalaciones sanitarias adecuadas los excusados del 58.9% de las viviendas de Argentina; el 63.1% de las de Chile; y el 43.7% de las de Perú. En los países del Tercer Mundo viven más de 2 300 millones de personas sin acceso a los sistemas de abastecimiento de agua potable y más de 1 400 millones sin medios adecuados para la eliminación sanitaria de excretas y desechos.[16]

La contaminación por residuos orgánicos de las aguas de uso doméstico es la principal causa de la transmisión de enfermedades parasitarias como el cólera, la fiebre tifoidea, enfermedades diarreicas como la disentería y otras parasitosis intestinales, que figuran entre las principales causas de mortalidad y morbilidad en los países menos desarrollados. Los vectores de la fiebre hemorrágica dengue y de la filariosis, proliferan en las aguas estancadas al igual que los mosquitos anofelinos transmisores del paludismo. La esquistosomiasis, que afecta a millones de personas, es endémica en regiones tropicales en donde no existen controles sanitarios (véase cap. 2).

Según datos consignados por la Organización Mundial de la Salud (1976), se registraban en el mundo más de 500 millones de casos de parasitosis entre las que predominaban el paludismo, la esquistosomiasis, la filariasis (una de cuyas formas es la oncocercosis o "ceguera de los ríos"), la tripanosomiasis en sus dos formas: la enfermedad del sueño y la enfermedad de Chagas, y la leishmaniasis. No existen razones para pensar que la situación haya mejorado desde entonces. En ese cuadro ambiental, la mortalidad infantil, según la propia oms era en 1968 del 130 por mil en Chile y de 92 por mil en Guatemala, mientras que en Suecia alcanzaba el 13.1 por mil y en Francia el 19.6 por mil (cuadro VII). La expectativa de vida no es menos demostrativa. En aquel mismo año era de 70.9 años en Europa, 70.5 años en la URSS y en América del Norte, y 49.6 años en los países subdesarrollados, con el caso extremo de África Occidental donde sólo llegaba a 39.2 años.

[16] L. Thapalyal, "La fuente de la vida", en revista *Salud Mundial*, OMS, julio de 1976, 8-13.

IV. CONTAMINACIÓN BÉLICA

La guerra y la miseria son las calamidades más siniestras que ha enfrentado y enfrenta la humanidad. No se trata únicamente de las guerras convencionales, que tantos millones de víctimas han cobrado en todas las épocas en este largo peregrinar del hombre hacia su humanización sino, y muy especialmente, de las sofisticadas armas de destrucción masiva que amenazan con un holocausto. Se trata de la guerra química, bacteriológica y nuclear.

Los preparativos bélicos y la guerra en sí misma son causas determinantes de despilfarro de inmensos recursos que deberían ser destinados al desarrollo económico y social (educación, salud pública, vivienda, protección ambiental) y de los daños infligidos a la biósfera tanto por la acción bélica como por las maniobras militares.

Gastos bélicos

La dinámica impuesta por la fabricación de armas a partir de la "guerra fría" (1947) genera cuantiosas inversiones, no solamente de los países más desarrollados, que monopolizan las investigaciones bélicas, sino de países subdesarrollados, que invierten cuantiosas sumas en la compra de instrumental bélico y en la formación y mantenimiento de personal especializado. El gasto global militar que superó los 200 000 millones de dólares a mediados de la década de los sesenta ha llegado a quintuplicarse en los últimos años superando los 1 000 millones de dólares diarios. Ese monto, es igual al 5 o 6% de la producción mundial de bienes y servicios. Sin embargo existen países en los que significa un 30%, mientras que en otros, es tan sólo del 1%.[17]

No existen dudas de que las inversiones más costosas corresponden a las armas termonucleares. Su fabricación ha alcanzado tal magnitud que las existencias actuales bastarían para destruir varias veces nuestro planeta. En 1974 las fuerzas nucleares estratégicas de los Estados Unidos y de la URSS contaban con 10 000 a 11 000 ojivas termonucleares y desde entonces han aumentado constantemente al igual que las fuerzas nucleares tácticas. Se calcula que el poder destructor de las primeras es el equivalente a 300 000 bombas del ta-

[17] Naciones Unidas, "Las consecuencias económicas y sociales de la carrera de armamentos y de los gastos militares", en *Informe Actualizado del Secretario General*, Nueva York, 1978.

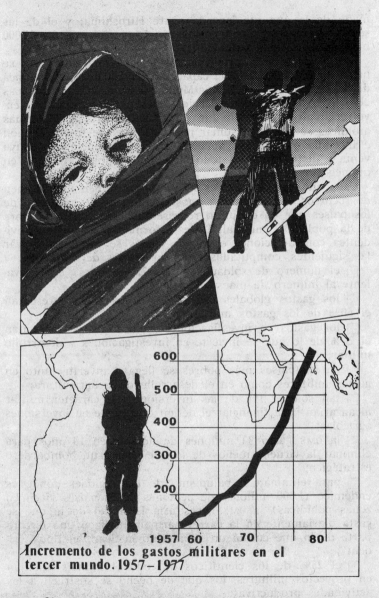

FIGURA 21
La carrera armamentista no sólo corroe a la sociedad sino que
destruye al medio ambiente. Las cifras sobre gastos militares
en el Tercer Mundo están dados en precios constantes de 1973
(sobre la base de *El Correo de la UNECOS,* abril de 1979).

maño de la que fue lanzada sobre Hiroshima; y el de las segundas representan tan sólo ¡¡¡el equivalente de 50 000 bombas de aquella potencia!!! [18]

Los peligros de la proliferación de las armas nucleares se han extendido debido a la capacidad tecnológica y económica de algunos países del Tercer Mundo. Esto acerca mucho más el peligro de explosiones accidentales o provocadas que envolverían al planeta en una inmensa hoguera. A las armas atómicas se le deben sumar nuevas armas de fragmentación e incendio y toda la gama de armas convencionales, cuya venta y distribución en todo el mundo, se ha convertido en un negocio de zopilotes.

Cada año, las actividades militares consumen un volumen de recursos equivalentes a unos dos tercios de PNB total de los países que en conjunto representan la mitad más pobre de la población mundial. De esta forma surgen algunas evidentes contradicciones entre las cuales se pueden destacar las siguientes, computados todos los países del mundo:

☐ el número de soldados (unos 22 millones) es equivalente al número de maestros;

☐ los gastos globales en salud pública sólo representan el 60% de los gastos militares;

☐ los gastos en investigaciones médicas sólo representan el 20% de lo que se invierte en investigaciones y desarrollo militar;

☐ en los países más pobres se llega a invertir tanto en gastos militares como en el desarrollo de la agricultura;

☐ tan sólo el 1% de las inversiones de carácter militar alcanzarían para financiar el déficit que existe en inversiones agrícolas;

☐ la OMS gastó 83 millones de dólares en 10 años para eliminar la viruela, menos de lo que cuesta un bombardero estratégico;

☐ para eliminar el paludismo de las regiones donde es endémico (1 000 millones de personas de 66 países viven en zonas palúdicas) la OMS necesitaría la mitad de lo que se gasta diariamente en la carrera armamentista o una tercera parte de lo que cuesta un submarino nuclear del tipo "Trident";

☐ el 25% de los científicos de todo el mundo trabajan en proyectos militares, los que de hecho se sustraen a las actividades productivas;

☐ 60 millones de personas trabajan en todo el mundo en tareas ligadas al sector militar lo que equivale al 70% del

[18] Naciones Unidas, *ibid.*, 1978.

empleo total de las ramas civiles de los Estados Unidos de América;

☐ se calcula que los gastos de la lucha contra la contaminación ambiental deberían representar entre el 1.4 y el 1.9% del PNB, sobre la base de hipótesis moderadas, y del orden del 2.5 al 4%, en una versión más exagerada; esto es una tercera parte o la mitad de lo que se invierte en gastos militares.

En definitiva, como lo subraya muy bien el *Informe* del secretario general de las Naciones Unidas, citado anteriormente "la carrera de armamentos representa un desperdicio de recursos, una desviación de la economía de sus propósitos humanitarios, un obstáculo para los esfuerzos en pro del desarrollo nacional y una amenaza para los procesos democráticos".

Impactos ambientales de las acciones bélicas

No se hará referencia en este capítulo a la contaminación radiactiva generada en las explosiones nucleares, que se tratará más adelante, sino que se centrará la atención en algunos impactos ambientales que tienen otras armas, como las incendiarias y químicas, que han sido masivamente utilizadas en las últimas décadas.

Expertos de las Naciones Unidas [19] han clasificado en cuatro grupos los materiales que se utilizan en la fabricación de armas incendiarias:

1. Sustancias metálicas, por ejemplo, el magnesio;
2. Sustancias pirotécnicas, como son la termita y mezclas afines;
3. Sustancias pirofóricas, por ejemplo, el fósforo blanco;
4. Aceites inflamables, por ejemplo, el napalm.

Todas ellas han sido utilizadas en conflictos bélicos recientes y ha sido el napalm el que ha tenido los efectos más monstruosos. Según informes médicos son tan horrendos los sufrimientos que ocasionan a los heridos que su uso no resiste el menor justificativo de ser civilizado alguno.

El napalm, vocablo originado en la fusión del nombre del producto químico del que se origina (naftenato-palmitato), es un aceite inflamable, espesado o gelificado con caucho u otras sustancias como los ácidos nafténico y oleico.

El poder destructor de las bombas de napalm es tan gran-

[19] Naciones Unidas, "Los fuegos bélicos. El napalm y otras armas incendiarias", *Serv. Infor. Pública*, Nueva York, 1973.

de que, durante la segunda guerra mundial, provocaron más
muertes que las causadas por las bombas atómicas arrojadas
sobre Hiroshima y Nagasaki (222 000 víctimas). Las 100 000
toneladas de napalm utilizadas por los Estados Unidos en Japón mataron a unas 260 000 personas e hirieron a unas 412 000,
mientras que en Alemania, el bombardeo de las principales
ciudades provocó más de un millón de muertos. En el
ataque más severo que soportó la ciudad de Tokio se utilizaron unas 2 000 ton de bombas de napalm. Sin embargo, esos
monstruosos registros iban a ser bien pronto superados en
la guerra de Corea donde se utilizaron unas 32 000 ton y en la
de Vietnam donde, hasta 1968, se habían arrojado más de
100 000 ton.

Aunque no existen datos precisos sobre las consecuencias
que a largo plazo tienen los bombardeos con armas incendiarias sobre los agroecosistemas y los ecosistemas naturales, todo parece indicar que los efectos destructivos y
contaminantes son de tal magnitud que muy difícilmente
vuelvan a ser sistemas productivos en un plazo más o menos
breve. Los trastornos ecológicos que se ocasionan resultan
muy difíciles de revertir. Al incendio y destrucción de un
bosque, por ejemplo, se suceden fenómenos erosivos, desequilibrios hidrológicos y pauperización de la fauna y de la flora.
Si a ello se suma el ataque que esos mismos ecosistemas
pueden sufrir con otros tipos de armas químicas, como son
los herbicidas, los defoliantes y los esterilizadores del suelo,
se habrá producido sobre el medio ambiental tal impacto
que revelará la existencia de un verdadero ecocidio. Es esto
lo que ha sucedido en toda Indochina y más particularmente
en Vietnam.

Los herbicidas y defoliantes arrojados, especialmente sobre
Vietnam del Sur, fueron fabricados a base de ácido cocodíli-
co; piclorán; 2,4-D; 2,4,5-T; 2,4 DNP; cianamida cálcida; arsénico blanco y otras sales de arsénico, que provocan una rápida marchitez y caída de las hojas, degradación del grano
de los cereales y otras consecuencias no menos destructivas.
Diluidas y en dosis muy bajas (1 kg/ha) son sustancias utilizadas frecuentemente como subsidios de la producción agrícola pero, en Indochina, se pulverizaban puras y en altas
concentraciones que, en caso de que se produjera alguna
emergencia de los aviones pulverizadores, podía llegar a 300
kg/ha. Entre 1961 y 1969 se habían diseminado por este medio unas 50 000 ton. Únicamente durante los años 1969/1970
fueron destruidas aproximadamente 1 900 000 ha de cultivos
de arroz, maíz, boniato, plátano y yuca, provocando al propio
tiempo la muerte por intoxicación de decenas de miles de

aves de corral, ganado vacuno y porcino. Además sus efectos letales se hicieron sentir en estanques de cultivo de peces, lagos, ríos y en las costas marinas próximas a las desembocaduras de estos últimos. Se ha calculado que el 44% de los bosques de Vietnam del Sur han sido seriamente afectados (el 13.2% de la superficie total del territorio), siendo destruido el 65% de los bosques caducifolios y el 40% de los bosques de coníferas.[20]

Según informa el documento de las Naciones Unidas ya citado [21] en uno de los defoliantes químicos que más se usó se agregaron por azar más de 100 kg de dioxina. Como se recordará, en 1978 se produjo en la ciudad italiana de Seveso, un escape accidental de dioxina (2.5 kg) cuyas consecuencias fueron muy graves: destrucción de áreas rurales, malformaciones congénitas de embriones humanos, muerte súbita de animales domésticos, etc. ¿Han existido responsables de aquella "equivocación"? La historia y la humanidad, en su conjunto, ya han condenado esos terribles crímenes.

V. EFECTOS DE LA POLUCIÓN SOBRE EL MEDIO AMBIENTE

Aerocontaminación

La contaminación atmosférica se debe a gases tóxicos y partículas sólidas en el aire que provienen de complejos industriales petroquímicos, siderúrgicos, textiles, cementeros, etc.; de la combustión de motores a explosión; del transporte eólico; de ciertos tipos de calefacción doméstica; de las explosiones atómicas y de otros procesos industriales y naturales.

El *smog*, vocablo inglés que designa una mezcla de niebla con humos y polvos, cubre grandes urbes industriales en determinadas situaciones geográficas y meteorológicas (México, Los Ángeles, Londres).

La ciudad de México se encuentra enclavada en un valle de altura (2 200 m s n m) de 60 km de largo por 40 km de ancho. El clima regional es templado cálido con una prolongada época de sequía. Viven en el área metropolitana cerca

[20] Juan Prohías, "La guerra química", *Tercer Simposio contra el Genocidio en Viet Nam y su extensión a Laos y Cambodia*, 1973.

[21] Naciones Unidas, 1978, *op. cit.*

de 15 millones de personas. El relieve montañoso, las condiciones climáticas imperantes en la mayor parte del año y la gran densidad de población han generado problemas ambientales de diferente índole, entre los cuales se cuenta la contaminación atmosférica.

El 85% de los bosques que primitivamente cubrían la región han sido gravemente afectados por la tala; el 25% de los suelos se hallan intensamente erosionados; circulan por la ciudad cerca de 2 millones de automotores, que generan entre el 60 y el 70% de los gases y sólidos atmosféricos; y el parque industrial está compuesto por unas 50 000 fábricas y talleres, 4 000 calderas de la pequeña industria y 1 000 hornos de tabique de los cuales el 50%, no cumple con las ordenanzas anticontaminantes. La suma de estas circunstancias ha convertido a la ciudad de México en el área urbana de América Latina con mayor polución atmosférica.

Según datos suministrados por la Subsecretaría de Mejoramiento del Ambiente, en 1977 el aire de la ciudad recibía 2 millones de toneladas anuales de polutantes y 200 mil toneladas de polvo arrastrado por las tolvaneras. Resinas, carbón, silicatos, metales, halógenos, partículas orgánicas y gérmenes patógenos son constituyentes "normales" del *smog* de la ciudad.

La inversión atmosférica es un fenómeno meteorológico frecuente en el valle de México (figura 22). Se produce cuando una capa de aire cálido se estaciona a determinada altura sobre el valle bloqueando la dispersión del aire a partir de la superficie terrestre. Al no producirse una renovación del aire de las capas inferiores éstas se sobrecargan de gases y partículas sólidas que provocan en los habitantes diversos malestares, entre los que predominan las congestiones oculares y tráqueo-faríngeas. Cuando la inversión térmica dura varios días provoca inconvenientes en el tráfico aéreo por reducción de la visibilidad.

La contaminación atmosférica favorece asimismo la proliferación de enfermedades infecciosas, provoca irritaciones cutáneas y es causa determinante del bloqueo de la hemoglobina; algunas partículas han sido identificadas como cancerígenas.

Los períodos agobiantes de inversión térmica se alivian con las lluvias del verano que lavan el aire disolviendo los óxidos de nitrógeno, el ácido fluorhídrico, el ácido clorhídrico y el anhídrido sulfuroso; arrastran además los compuestos de metales pesados y hollines originados en la combustión. De este modo los contaminantes se acumulan en las aguas superficiales y en los suelos, degradando la vegetación, la

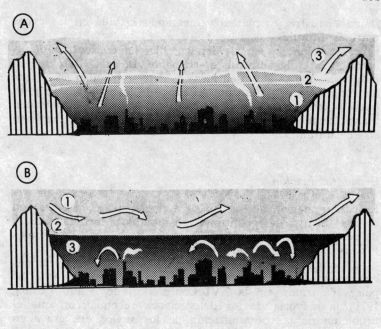

FIGURA 22

Fenómeno de inversión térmica y contaminación en el valle de la ciudad de México.

A. La estratificación térmica del aire es normal. Las capas más cálidas y menos densas (1) se difunden a través del aire templado (2) y frío (3) arrastrando el aire contaminado fuera de la ciudad.

B. La estratificación térmica se invierte cuando una masa de aire tropical (1) se estaciona sobre el valle impidiendo que el aire frío nocturno (3) se difunda. El aire contaminado queda atrapado en la ciudad. La contaminación atmosférica es grave.

C. La situación perdura hasta que una masa de aire fresco (2) ingresa en el valle rompiendo la inversión térmica y liberando el aire contaminado.

fauna terrestre y acuática y afectando la vida en las aguas marinas litorales.

La situación parece ser irreversible. La concentración urbana en el valle aumenta diariamente. De cada diez nuevas industrias que se abren en México, siete se instalan en el área metropolitana. Diariamente cientos de campesinos migran hacia la ciudad para vivir en casas de emergencia generando nuevas demandas y nuevos problemas, tal como se ha visto en el capítulo 2.

Geocontaminación

La contaminación de los suelos agrícolas tiene su origen en el uso abusivo de fertilizantes fosfatados y carbonatados, y de pesticidas, plaguicidas y herbicidas portadores de metales tóxicos como cobre, zinc, arsénico, cadmio y mercurio.

La polución edáfica es especialmente crítica en regiones con desarrollo agroindustrial, patrimonio así exclusivo de los países centrales. En la XVI Conferencia de la FAO (Roma, 1971) la mayoría de las delegaciones reconocieron que el problema de la contaminación de los suelos era grave en ciertos países desarrollados donde se habían estado utilizando grandes cantidades de productos químicos, pero que en los países en desarrollo, donde las cantidades utilizadas de herbicidas, pesticidas y fertilizantes eran bajas, lo que debía prevalecer entre otras consideraciones era la necesidad urgente de aumentar la producción de alimentos.[22]

El empleo de plaguicidas a partir de la segunda guerra mundial dio resultados espectaculares en el rendimiento de las cosechas agrícolas. El uso del DDT se difundió rápidamente al igual que otros insecticidas clorados y fosfatados. Nuevas técnicas agronómicas y el uso de nuevos abonos y herbicidas dieron por resultado lo que, en los años cincuenta se convirtió en la *revolución verde*, un fenómeno caracterizado por el aumento exponencial de las cosechas.

La aplicación de las nuevas sustancias quimiosintéticas se amplió rápidamente al tratamiento de otros ecosistemas agrarios y naturales. Campos de pastoreo, bosques y selvas, regiones pantanosas y áridas fueron saneadas con la aplicación de insecticidas que, no solamente mejoraron las condiciones de producción sino que combatieron epidemias transmitidas por insectos: paludismo, enfermedad del sueño, mal de Chagas, etc. Pero los efectos contraproducentes de los insec-

[22] *Revista Ceres*, Roma, FAO, núm. 25.

ticidas no tardaron en hacerse presentes. Su empleo masivo e indiscriminado y su falta de selectividad con los insectos que se pretendía combatir, comenzaron a diezmar las poblaciones de otros insectos útiles. Como ejemplos más notables se cita el de las abejas, abejorros, avispas y otros animales polinizadores. No tardaron en aparecer generaciones de plagas resistentes a los insecticidas, invulnerables a dosis duplicadas, triplicadas o centuplicadas, al tiempo que comenzaron a desaparecer o disminuir insectos hiperparásitos, es decir insectos parásitos de las plagas. Quedaban eliminados, de este modo, los controles naturales de las pestes. Poco tiempo más tarde hubo evidentes complicaciones secundarias con la muerte de aves en bosques y praderas y de peces en lagos y ríos.

En reiteradas oportunidades se ha asistido a este tipo de fenómeno en lagunas pampeanas de la provincia de Buenos Aires (Argentina) donde a una pulverización de cultivos cerealeros y a una lluvia subsecuente, que arrastró el tóxico hacia lagunas vecinas, sobrevinieron mortandades de peces, en especial pejerrey *(Austromenidia bonariensis)*, cuyas poblaciones quedaban diezmadas. Otro tanto puede ocurrir en ecosistemas marinos litorales, especialmente en lagunas arrecifales y lagunas litorales, donde la circulación y el recambio de aguas suelen ser muy lentos.

Se descubrió, al propio tiempo, la incorporación de las moléculas de DDT y de otros insecticidas a las cadenas tróficas y su acumulación en los tejidos adiposos de los animales y del hombre. Se ha comprobado, por ejemplo, la presencia de DDT en las grasas de los pingüinos y otras aves antárticas.

A partir de la comprobación de esos y otros perjuicios, se ha suscitado una gran polémica internacional entre los detractores y los defensores del DDT y otros insecticidas. En los Estados Unidos, Canadá, Japón, Suecia y la URSS se han dictado disposiciones limitando y/o prohibiendo su uso pero en los cultivos de algodón de Sudamérica por ejemplo, se emplean 10 kg/ha mientras que la cantidad recomendada como protección de esos cultivos es de sólo 3 kg/ha.[23]

La ciencia entomológica ha estado buscando afanosamente otros métodos para combatir las plagas, que eviten el desequilibrio de los ecosistemas. Entre ellos su control biológico a través del desarrollo de hiperparásitos, o bien provocando epizotias-virósicas, micóticas o bacteriológicas; la inducción de generaciones estériles por radiactividad o quimiosterilizantes; la utilización de sustancias repulsivas o atractivas, etc.

[23] E. D. Goldberg, *La salud de los océanos*, París, UNESCO, 1979.

Todos ellos, a diferencia de los biocidas, resultan altamente beneficiosos para la estabilidad de los ecosistemas. Los éxitos han sido notables pero no alcanzan, hasta el presente, a equiparar el poder destructivo de los hidrocarburos halogenados.

La entrada de los insecticidas a las cadenas tróficas ha originado una creciente contaminación de los alimentos vegetales y animales: frutas, verduras, huevos, carnes. Investigaciones realizadas en los Estados Unidos demostraron que los huevos de gallina de una granja próxima a un área de cultivo tratada con DDT, tenía aproximadamente 21 ppm de aquel compuesto. Quedó demostrado también que las gallinas podían ingerir hasta 1 250 ppm de DDT sin demostrar señales clínicas de envenenamiento.[24] En este mismo estudio se considera que los habitantes de los Estados Unidos ingieren diariamente entre 0.199 mg de DDT y 0.122 mg de DDE (un metabolito del DDT). Estas cifras son muy semejantes a las determinadas en Inglaterra y Francia.

En los Estados Unidos se usan anualmente unas 14 000 ton de herbicidas (ácidos fenoxiacéticos) especialmente sobre cultivos de algodón. La aplicación varía entre 0.28 kg/ha (sobre follaje) o en proporciones más elevadas como preventivo (0.55 a 13 kg/ha), dependiendo del tipo de herbicidas, del cultivo a tratar y de la naturaleza de los suelos. El más difundido es el 2,4-D (ácido 2,4-diclorofenoxiacético) y la principal preocupación de los agrónomos radica actualmente en conocer los efectos que pueda tener sobre la fauna microbiana del suelo, cuyo papel ecológico es sumamente importante. Así, por ejemplo, una proporción de 2 ppm de 2,4-D puede inhibir el crecimiento de bacterias, como los *Rhizobium*, que son fundamentales en la fijación del nitrógeno por las plantas leguminosas (frijoles, habas, arvejas, algarrobos). Por el contrario, se requieren dosis de hasta 40 000 ppm para inhibir el crecimiento de ciertos hongos.[25] Según Newman y Downing (*op. cit.*) la aplicación de 11 a 112 kg/ha provoca la esterilización de los suelos, aunque por lo general se requieren dosis que oscilan entre 28 y 34 kg/ha. Compárense estas cifras con las utilizadas con fines bélicos en Indochina y se tendrá una clara imagen del grado extremo

[24] W. F. Durham *et al.*, "Contenido de DDT y DDE de comidas preparadas completas", en *Orígenes y control de la contaminación ambiental*, México, CECSA, 1973.

[25] A. S. Newman y C. R. Downing, "Los herbicidas y el suelo", en *Orígenes y control de la contaminación ambiental*, México, CECSA, 1973.

de contaminación que se provocó en los suelos de aquella región (véanse pp. 158-159).

Hidrocontaminación

Para su mejor comprensión resulta conveniente dividir la hidrocontaminación en polución de las aguas continentales (lagunas, lagos, ríos, arroyos) y en polución de las aguas oceánicas aunque, como quedará demostrado, los perjuicios ocasionados en uno y en el otro medio ambiente son muy semejantes.

Las aguas han sido históricamente el basurero de la humanidad. Se las ha considerado con tal desaprensión que todo resto inservible, orgánico e inorgánico, ha ido a parar a los ríos, a los lagos y a los mares, como si fueran barriles sin fondo. La contaminación acuática ha adquirido mayor gravedad en los últimos decenios, no sólo por el enorme desarrollo industrial y el aumento de la población, sino porque se comenzaron a depositar en los mares residuos radiactivos cuya difusión puede tener consecuencias imprevisibles.

Goldberg [26] cita el caso de 20 000 toneladas de bombas de mostaza que fueron depositadas en el mar Báltico después de la segunda guerra mundial y que ocasionaron, *a posteriori*, graves accidentes a pescadores y a quienes ingirieron huevos de peces contaminados. Pues, ¿qué no podrá ocurrir en el futuro con los residuos radiactivos que han sido depositados en todos los mares del mundo? Se argumenta que los recipientes que contienen esos residuos resistirán el paso del tiempo, pero debe recordarse (véase cuadro XIV) que algunos radionúclidos demoran cientos de años en desintegrarse...

Contaminación de las aguas dulces. La contaminación de las aguas dulces resulta de la contaminación atmosférica, de la geocontaminación y de los desperdicios industriales y domésticos que se vuelcan directamente en ellas. En ríos y lagos se acumulan los polutantes atmosféricos que fueron arrastrados por las aguas de lluvia, los restos de abonos, herbicidas y pesticidas de los agroecosistemas, y una serie interminable de compuestos minerales y orgánicos de origen industrial. Además las excretas de los asentamientos humanos ribereños. Las aguas continentales se transforman así en resumideros que, en caso de tratarse de cuencas cerradas (lagos o lagunas) generan procesos de tal magnitud que su degradación puede llegar a ser irreversible.

[26] E. D. Goldberg, *ibid.*, 1979.

Una nueva forma de contaminación que amenaza la estabilidad de las aguas continentales, es la polución térmica originada en plantas termoeléctricas y nucleoeléctricas que utilizan el agua de lagos y ríos para la refrigeración de las turbinas. Por ejemplo, en el embalse de río Tercero (Córdoba, Argentina) se instala actualmente una planta nucleoeléctrica. Se estima que una vez en funcionamiento, la temperatura promedio del agua del embalse subirá 2°C. No se conoce con certeza qué impacto provocará ese calentamiento sobre los organismos del embalse pero debe tenerse presente que el aumento de 10°C en la temperatura ambiente duplica el ritmo metabólico de la mayoría de las especies. Puede suceder que un aumento mínimo de la temperatura inhiba la reproducción de algunos organismos, si es que sobrepasa el punto crítico específico. La falta de información científica básica sobre este y otros aspectos de la fisiología de los organismos que pueblan el embalse citado, y de la mayoría, por no decir la totalidad, de los cuerpos de agua continentales de Argentina y de América Latina, hace más inciertas las predicciones que puedan hacerse sobre la evolución de estos sistemas ecológicos.

Pero más peligroso aún que el aumento de la temperatura de las aguas resulta la posibilidad de que algunas sustancias radiactivas como cesio y rutenio se vuelquen al embalse, juntamente con las aguas de refrigeración, para ser fijadas en los tejidos de los organismos acuáticos.

Los más graves casos de contaminación de aguas continentales se registran en los países industrializados (ríos Rhin, Támesis y Mississippi). En América Latina también existen casos de considerable polución como en la desembocadura del río Coatzacoalcos (Veracruz, México), en el curso inferior del río Paraná y en las riberas del río de la Plata (Argentina). Los grandes lagos de Norte América (Superior, Hurón, Michigan, Erie y Ontario) que componen la cuenca de agua dulce más grande del mundo, sufren el tremendo impacto de las grandes ciudades industriales y otros centros urbanos próximos. En los últimos 150 años esos lagos experimentaron un acelerado proceso de eutroficación.

Contaminación del medio ambiente marino. La contaminación de las aguas oceánicas, y particularmente de los ecosistemas marinos litorales, resulta de la geocontaminación, de la polución de las aguas continentales y de las descargas directas provenientes de industrias y asentamientos humanos. Por lo tanto las aguas costeras más afectadas son aquellas que se encuentran próximas a centros urbanos e industriales o de la desembocadura de grandes ríos.

Las aguas oceánicas poseen una mayor capacidad de *digestión* de polutantes que las aguas continentales debido a su composición química y a su inmenso volumen (1 370 millones de km^3). Sin embargo la contaminación adquiere gravedad en ensenadas, bahías y golfos con poco recambio de agua, como la bahía de La Habana (Cuba), en donde se ha desarrollado un importante núcleo industrial y vive una población de más de dos millones de personas; la bahía de Acapulco (México), ciudad y centro turístico internacional de 400 000 habitantes; el golfo de Maracaibo (Venezuela) en donde se

CUADRO IX

REGIONES OCEÁNICAS, TIPOS DE CONTAMINACIÓN, IMPACTOS AMBIENTALES Y DURACIÓN DE LOS EFECTOS PERNICIOSOS [27]

Región	Tipo de contaminación	Impacto ambiental	Duración del impacto
Región nerítica (10% de la superficie oceánica; 99% de la pesca)	Aguas residuales; desechos industriales; residuos sólidos; derrames de petróleo	Degradación de los recursos renovables, de los valores estéticos y recreativos	Corto plazo
	Hidrocarburos halogenados; metales pesados; radiactividad	Degradación de los recursos renovables	Largo plazo; los metales e hidrocarburos retenidos por los sedimentos se liberan en períodos largos
Región oceánica (90% de la superficie oceánica; 1% de la pesca)	Hidrocarburos halogenados; metales pesados; radiactividad	Acumulación creciente en el medio; bioacumulación	Largo plazo, dependiendo de la vida del contaminante

[27] Con algunas modificaciones tomado de M. Waldichuk, *La contaminación mundial del mar: una recapitulación*, París, COI-UNESCO, 1977.

asienta una de las industrias petroleras más grandes del mundo; la bahía de Guanabara (Brasil) que recibe los desperdicios de una buena parte de Río de Janeiro, ciudad con más de siete millones de habitantes; y la bahía de Cartagena (Colombia) cuyo puerto tiene cerca de 400 000 habitantes.

El petróleo y sus derivados, es el contaminante que mayor impacto aparente provoca sobre los ecosistemas marinos. La impregnación del litoral por petróleo crudo, el recubrimiento del plumaje de las aves por una película aceitosa que llega a provocar su muerte y grandes manchas en la superficie del agua que impiden su disfrute por los bañistas, son algunas de las consecuencias más visibles. Se calcula que anualmente se vuelcan a los mares unos seis millones de toneladas de petróleo que proceden, como puede apreciarse en el cuadro x de varias fuentes, algunas permanentes y otras accidentales. Los efectos catastróficos más espectaculares derivan de los derrames en accidentes marítimos de grandes buque-tanques o de pozos petroleros. Entre el 18 de marzo de 1967, en que se hundió el "Torrey Canyon" contaminando los mares del canal de la Mancha con 30 000 ton de crudo, hasta el 18 de marzo de 1978, en que ocurrió el accidente del "Amaco-Cádiz", en la misma zona, produciéndose el derrame de 223 000 ton de petróleo, ha habido en todo el mundo unos 250 accidentes de buques petroleros.

Pero sin duda el accidente más espectacular, que ha batido todos los registros de derrames de petróleo en el mar, ha sido en el pozo de extracción mexicano "Ixtoc I" situado en la plataforma continental del golfo de México 94 km al noreste de Ciudad del Carmen (Campeche). El 2 de junio de 1979 se produjo un accidente seguido de un incendio de grandes proporciones. El petróleo derramado fue de unos 30 000 barriles diarios que en los 295 que duraron las tareas de reparación sumaron alrededor de 3 100 000 barriles.[28] Unas 600 000 ton.

Las consecuencias que tiene el petróleo crudo sobre los ecosistemas marinos, especialmente los litorales, son graves. Afectan en primer lugar a la industria turística al descartar las costas con fines recreativos y el impacto sobre los organismos pelágicos y bentónicos es también severo. Los parques de cultivos (ostras, mejillones) son los más afectados al igual que las poblaciones de invertebrados litorales.

La lucha contra las *mareas negras* es ímproba utilizándose métodos mecánicos y químicos. El uso de detergentes, por

[28] CONACYT, "El Ixtoc: la doma de un gigante", en *Información Científica y Tecnológica*, 2 (19), México, 1980.

CUADRO X

FUENTES DE ORIGEN Y ESTIMACIÓN DE LOS DERRAMES
DE PETRÓLEO EN EL MEDIO AMBIENTE MARINO [29]

Procedencia	Toneladas métricas por año
Buques tanques, terminales portuarias y otras fuentes relacionadas con el transporte	2 100 000
Descargas fluviales y urbanas	1 900 000
Precipitaciones atmosféricas	600 000
Emanaciones naturales	600 000
Desechos industriales	300 000
Desechos urbanos	300 000
Refinerías de petróleo litorales	200 000
Pozos de extracción en la plataforma continental o próximos al litoral	100 000
TOTAL	6 100 000

ejemplo, si bien elimina la capa superficial de aceites tiene
efectos secundarios sobre muchos organismos. Las sustancias
absorbentes que aglomeran el petróleo precipitándolo, trasla-
dan la contaminación desde la superfcie a los fondos. La
succión mecánica y la recuperación del crudo es más efectiva, siendo inciertos los efectos de la incineración.

Con frecuencia se dice que el petróleo es enteramente de-
gradable por la acción de bacterias capaces de digerir los
hidrocarburos pero, según Goldberg (op. cit.) "lo que podemos
decir por ahora es que los microorganismos marinos son
capaces de degradar algunos componentes de los petróleos,
pero que las velocidades de descomposición en las condiciones naturales se conocen insuficientemente". Además, según el mismo autor, los crustáceos copépodos (integrantes
del zooplancton), otros invertebrados y peces marinos son
capaces de degradar los hidrocarburos aromáticos y parafí-
nicos.

Los efectos del petróleo sobre los ecosistemas marinos no
han sido aún bien evaluados. Resulta evidente que los organismos que llegan a ser envueltos por una película aceitosa
pierden las facultades respiratorias y quimioreceptoras por
lo que se producen grandes mortandades tanto de vertebrados

[29] Con algunas modificaciones tomado de M. Waldichuk (op. cit.).

como de invertebrados. Es probable también que inhiba la viabilidad de las gametas y mate a formas larvales. La ingestión por el hombre de peces o mariscos contaminados por petróleo puede acarrear serias consecuencias, pero no existen investigaciones lo suficientemente probadas.[30]

La contaminación marina derivada de las descargas cloacales afecta grandes extensiones costeras, a pesar de que el predominio de sustancias biodegradables facilita su rápida desintegración. Sin embargo las sustancias orgánicas, al entrar en descomposición, reducen considerablemente las reservas de oxígeno disuelto en las aguas. En bahías muy cerradas, con poca renovación del agua, suele disminuir el oxígeno necesario para la respiración de los animales, en especial en las proximidades del fondo por lo que se registran mortandades masivas de organismos, especialmente de peces. Al propio tiempo, la acumulación de fangos sapropelíticos genera desprendimientos de gases nauseabundos y tóxicos, entre los que predomina el anhídrido sulfuroso.

La contaminación doméstica facilita la proliferación de bacterias, virus, hongos y microorganismos, parásitos perjudiciales para el hombre y para los animales domésticos. Se estima que cuando la concentración de colibacilos supera los 20 000 individuos por litro, los peligros de enfermedades entéricas aumentan considerablemente. Es muy probable que estos límites hayan sido superados en algunas regiones del mar Mediterráneo como Nápoles y Marsella. En esta última ciudad se vuelcan diariamente al mar unos 220 000 metros cúbicos de aguas negras. De las aguas cloacales que van a parar al mar Mediterráneo sólo entre 15 y 20% son sometidas a algún sistema de purificación.[31] Las forunculosis, dermatitis, gastroenteritis, hepatitis virósica y tifoidea, son enfermedades que prosperan cuando las aguas litorales sufren aquel tipo de contaminación. Ellas no se trasmiten únicamente por vía directa sino que algunos organismos se comportan como portadores de las enfermedades. Es el caso de los moluscos pelecípodos (almejas, ostras y mejillones), que debido a sus hábitos alimentarios (son filtradores de agua y retienen las partículas en suspensión), concentran en su cavidad paleal y tubo digestivo, bacterias, virus y hongos que trasmiten al hombre cuando éste los ingiere.

La acumulación de desechos no degradables o de lenta descomposición (envases plásticos, botellas de vidrio, envases de hojalata, metales, tejidos, maderas y otros muchos obje-

[30] E. D. Goldberg, *ibid.*, 1977.
[31] P. M. Doutrelat y E. Schelma, "La contaminación del mar Mediterráneo", en *El Día*, México, 14 de enero de 1979.

tos), provocan también focos de polución ambiental. En el cuadro XI, se resume una estimación de la enorme cantidad de desperdicios sólidos que van a parar a los océanos.

En las costas de América Latina y del Caribe los residuos sólidos están presentes en las inmediaciones de las grandes ciudades costeras: Cartagena, Río de Janeiro, Veracruz, etcétera.

CUADRO XI

ESTIMACIÓN DE LOS RESIDUOS SÓLIDOS QUE SON ARROJADOS AL MEDIO AMBIENTE MARINO [32]

Procedencia	Toneladas métricas al año
Barcos de pasajeros	28 000
Barcos mercantes	
Tripulación	110 000
Carga *	5 600 000
Navegación recreativa	103 000
Pesca comercial	
Tripulación	340 000
Artes de pesca	1 000
Barcos de guerra	74 000
Plataformas de perforación petrolera	4 000
Accidentes marítimos	100 000
TOTAL	6 360 000

En los océanos se ha identificado al DDT y al PCBS como responsables de serias perturbaciones biológicas, por ejemplo, la mortalidad masiva de aves debido al debilitamiento de la cáscara de sus huevos; inhibición de la actividad fotosintética del fitoplancton; intoxicación de peces y camarones; partos prematuros de lobos marinos, etc. Según Waldichuk (op. cit.) los bifenilos policlorados (PCBS) son altamente tóxicos para los crustáceos marinos como lo prueba una descarga accidental en la bahía de Escambia (Florida, EU) que produjo una

* Se supone que un porcentaje desconocido de residuos sólidos se descargan en los puertos o en zonas próximas a la costa.
[32] National Academy of Science, Assessing potential ocean pollutants, Washington, 1975.

gran mortandad de camarones. La National Science Foundation de los Estados Unidos de América estimó en 1971 que ingresaban al sistema marino 24 000 ton de DDT por año que representaba aproximadamente el 25% de la producción mundial.[33]

Así como ocurre en los continentes, tanto el DDT como el PCBs ingresan en las cadenas tróficas y terminan por fijarse en los tejidos lipídicos de los animales superiores de uno al otro polo. Investigaciones realizadas por Jensen *et al.*,[34] demostraron la presencia de aquellos polutantes en animales tan comunes como los mejillones, lenguados, bacalao, tiburones, arenque, salmones, focas y varias aves.

Según refiere Goldberg *(op. cit.)* la ingestión de PCBs por el hombre ha causado casos de morbilidad: erupciones cutáneas, parálisis, fatiga y vómitos; y otros casos aislados de mortalidad atribuida al consumo de aceite comestible contaminado.

El mirex, otro compuesto organoclorado, es también inhibidor de la actividad fotosintética del fitoplancton: la capacidad de fijación del carbono se reduce en 42% luego de estar expuesto durante cuatro horas a 1 ppm de mirex, y concentraciones del 0.1 partes por mil millones pueden provocar la muerte de cangrejos juveniles.

Por ser el agua un solvente universal es posible encontrar en los mares la mayoría de los elementos químicos reconocidos. Sin embargo su concentración varía notablemente. Mientras que algunos elementos como cloro, sodio, magnesio, calcio y potasio se encuentran en cantidades relativamente elevadas, de otros como nitrógeno, litio, rubidio, fósforo, iodo, hierro, zinc y molibdeno sólo existen vestigios (cuadro XII).

Algunos de los metales que en concentraciones normales son inocuos pueden convertirse en tóxicos si su concentración se eleva como consecuencia de descargas industriales. En esta categoría se encuentran el zinc, níquel, plomo, arsénico, cromo, estaño, hierro, manganeso, aluminio, berilio y litio. Su peligrosidad es mayor cuando se produce bioacumulación. En Japón por ejemplo, han ocurrido gravísimas intoxicaciones debido al consumo de peces contaminados con mercurio (enfermedad de Minamata) y con cadmio (enfermedad de itai-itai).[35]

[33] E. Goldberg, *ibid.*, 1979.
[34] S. Jensen, *et al.*, "DDT and PCB in marine animals fron Swedich waters", en *Nature*, pp. 247-250.
[35] Para una descripción detallada de estos casos véase E. D. Goldberg, "La Salud de los océanos", París, UNESCO, 1979, pp. 21-25.

CUADRO XII

COMPOSICIÓN PARCIAL DEL AGUA DE MAR

A. *Componentes principales presentes en cantidades superiores a 100 partes por millón*
   Ion

Cloro, Cl⁻	55.04 %
Sodio, Na⁺	30.61
Sulfato, SO_4^{-2}	7.68
Magnesio, Mg^{+2}	3.69
Calcio, Ca^{+2}	1.16
Potasio, K⁺	1.10
	99.28 %

B. *Componentes menores (1-100 partes por millón)*
   Elemento

Bromo	65.0 ppm
Carbono	28.0
Estroncio	8.0
Bario	4.6
Sílice	3.0
Fluor	1.0

C. *Elementos trazas (menos de 1 parte por millón)*

Nitrógeno	Iodo
Litio	Hierro
Rubidio	Zinc
Fósforo	Molibdeno

El cuadro XIII muestra una estimación realizada por el Instituto Tecnológico de Massachusetts sobre las descargas de metales en los océanos procedentes, respectivamente, de procesos geológicos e industriales.

En esta breve síntesis de los elementos que contaminan los océanos merece especial mención el fluor, elemento bioacumulable que se incorpora fácilmente a las cadenas tróficas provocando desastres ecológicos en los sistemas terrestres y marinos litorales.

En Argentina se suscitó, hace algunos años, una polémica acerca de los perjuicios que podría ocasionar en los ecosistemas litorales, la instalación de una planta productora de aluminio sobre las márgenes del golfo Nuevo (Puerto Madryn). La cuestión fue debatida en uno de los congresos anuales de la Asociación Argentina de Ecología (1974). En la fabricación del aluminio se utiliza, como fundente de la materia prima (bauxita), la fluorita (fluoruro de calcio). Del proceso electrolítico se desprenden gases que, si no son retenidos por filtros especiales, se disipan en la atmósfera circundante. Combinados con la humedad ambiental forman hidróxido de fluor que precipita a la tierra o el mar, según sean las condiciones meteorológicas. Los fluoruros son rápidamente absorbidos por la vegetación a la que causan graves enfermedades, reduciendo su crecimiento y productividad, aun en concentraciones menores de 0.1 ppb. Los animales, incluyendo los domésticos, pueden ser víctimas de intoxicaciones por la ingestión de vegetales contaminados. En Gran Bretaña y Canadá se han comprobado perjuicios de variada intensidad en el ganado cuya ingestión diaria de fluoruros (como F^-) oscilaba entre 40 y 60 ppm.

Otra permanente amenaza sobre el equilibrio de los ecosistemas marinos es el de la contaminación radiactiva, motivo de preocupación mundial desde el momento en que se realizaron las primeras pruebas atómicas sobre los atolones del océano Pacífico.

Las fuentes de contaminación radiactiva de los mares son

CUADRO XIII

CANTIDAD DE METALES QUE LLEGAN A LOS OCÉANOS POR PROCESOS NATURALES O BIEN INDUCIDOS POR LA ACTIVIDAD ECONÓMICA [36]

Elemento	Origen geológico	Actividad económica (minería) 10^3 toneladas métricas por año
Hierro	25 000	319 000
Manganeso	440	1 600
Cobre	375	4 460
Zinc	370	3 930
Níquel	300	358
Plomo	180	2 330
Molibdeno	13	57
Plata	5	7
Mercurio	3	7
Estaño	1.5	166
Antimonio	1.3	40

[36] Massachusetts Institute of Technology, *Man's impact on the global environment, assessment and recomendation for action*, Cambridge, Mass., EU, 1970.

tres: la proveniente de los combustibles nucleares como el uranio-235 y el plutonio-238, que pueden ser introducidos por barcos de propulsión nuclear, aeronaves y satélites; los productos de fisión de las explosiones nucleares y la producción de energía, como son el estroncio-90, el cesio-137 y el bario-140; y los productos de activación como el zinc-65 y el hierro-55, resultantes del bombardeo de neutrones de los componentes de reactores nucleares y armas atómicas. A

CUADRO XIV

RADIONÚCLIDOS MÁS IMPORTANTES DETECTADOS EN LOS OCÉANOS [37]

Radionúclido	Tiempo de desintegración hs = horas d = días a = años
Estroncio 90	28 a
Iodo 90	64.2 hs
Niobio 95	35 d
Zirconio 95	65 d
Rutenio 103	40 d
Rutenio 106/Rodio 106	1 a
Cesio 137	30 a
Cerio 144/Praseodimio 144	285 d
Carbono 14	5.76×10^3 a
Fósforo 32	14.3 d
Cromo 51	27.8 d
Manganeso 54	314 d
Hierro 55	2.7 a
Zinc 65	245 d
Plata 110 m	253 d
Plutonio 239	2.44×10^4 a
Plutonio 241	13.2 a
Americio 241	458 a

esas fuentes se les deben sumar los aportes naturales debido a procesos geológicos.[38]

Se han realizado numerosas investigaciones con el fin de conocer la trayectoria de diferentes radionúclidos a través de cadenas tróficas marinas.

[37] National Academy of Science, "Radioactivity in marine environment", en *Comm on Oceanogr.*, Washington, 1971.

[38] Waldichuk, *ibid.*

La Comisión Nacional de Energía Atómica de Argentina
(CNEA), por ejemplo, ha experimentado por varios años en
los laboratorios del ex Instituto Interuniversitario de Biología Marina de Mar del Plata sobre la acumulación de algunos
productos de fisión nuclear por algas e invertebrados. La
fijación de zinc-65, cobalto-60, cromo-51 y hierro-55, ha sido
probada en varias oportunidades.

Entre los más importantes radionúclidos detectados en los
océanos se ha seleccionado una lista resumida, de acuerdo
con Preston: [39] en los cuadros XIV y XV se reseña la estimación
que la FAO [40] realizara sobre la cantidad de radionúclidos que
son descargados artificialmente en los océanos.

La instalación de plantas nucleoeléctricas en el litoral marítimo genera problemas de hidrocontaminación térmica, por
un lado, y de radionúclidos, por el otro. Ya se comentaron
las consecuencias que un aporte de agua caliente puede
tener sobre la vida de lagos, embalses y ríos. En el mar, las

CUADRO XV

CONTAMINACIÓN DE LOS OCÉANOS POR RADIONÚCLIDOS [41]

Origen	1970	2000
Explosiones atómicas		
Productos de fisión (excluido tritio)	$2\text{-}6 \times 10^8$ Ci	7×10^8 Ci
Tritio	10^9 Ci	7×10^9 Ci *
Reactores y reprocesamiento de combustibles		
Productos de fisión y activación (excluido tritio)	3×10^5 Ci	3×10^7 Ci
Tritio	3×10^5 Ci	7×10^8 Ci
Radiactividad artificial total	10^9 Ci	10^9 Ci
Radiactividad natural total por ^{40}K	5×10^{11}Ci	5×10^{11}Ci

* La cifra presupone que las pruebas de armas nucleares en la
atmósfera continuaron como en el período 1968/70.

[39] A. Preston, "Artificial radioactivity in fresh water and estua-
rine systems", en *Proc. Roy. Soc.* London, 180 B, 1972.

[40] Food Agriculture Organisation (ONU), "Joint group of experts
on the scientific aspects of marine pollution" (GESAMP), FAO FISH.
REP. 102, FAO, ROMA.

[41] FAO (ONU), "Joint group of experts on the scientific aspects
of marine pollution" (GESAMP), Roma, 1971.

consecuencias dependerán de las condiciones oceanográficas locales: temperatura de las aguas, profundidad, geomorfología litoral, corrientes de marea, pero pueden esperarse efectos perniciosos iguales a los de las aguas continentales. En laguna Verde (Veracruz, México) se halla en construcción una planta que volcará sus aguas de refrigeración a una pequeña laguna litoral y que afectará, seguramente, a la región costera aledaña. Las consecuencias negativas que sobre el medio ambiente podría tener un aumento de la temperatura superficial de las aguas tropicales son imprevisibles debido al desconocimiento que se tiene sobre la biología básica de los organismos de esa región. Otro tanto podría argumentarse sobre el posible derrame de radionúclidos.

En este como en otros campos del conocimiento sobre la problemática del medio ambiente, es muy poco lo que se ha hecho en América Latina y el Caribe. Las investigaciones son por lo general puntuales, aperiódicas y discontinuas. No existe personal entrenado que pueda manejar técnicas muy especializadas y sofisticadas. Los recursos destinados a la formación de personal científico son escasos o nulos. No existe la planificación científica a largo plazo y, por lo general, se apela al curandero en lugar de llamar al médico. Ésta es la triste situación de los problemas de la contaminación ambiental en la región. Cuba encara en el momento actual el saneamiento de la bahía de La Habana con tecnología moderna. De su éxito podría surgir un modelo para la gestión del medio ambiente que podrá ser de utilidad a otros países con una problemática semejante.

CAPÍTULO 5

EXPLOTACIÓN Y DEGRADACIÓN DE LOS RECURSOS NATURALES RENOVABLES

> "...el escándalo de la Naturaleza es el escándalo de la sociedad..." TOMÁS MALDONADO

En los capítulos anteriores se ha pasado revista a los impactos provocados por la contaminación sobre la biósfera y a los problemas derivados del aumento desordenado de la población humana. Se ha tratado de demostrar que el control de la contaminación ambiental es ante todo, un problema que se resuelve con tecnologías adecuadas que significarán grandes inversiones económicas, mientras que la reducción de las tasas de crecimiento demográfico deberá ser una consecuencia del avance social y económico de las poblaciones marginadas.

La degradación de los recursos naturales renovables, en especial en los países de la región, es ante todo una consecuencia del despojo a que han sido sometidos históricamente los países subdesarrollados. Esa degradación es el problema ecológico más grave que enfrentan los países de América Latina y el Caribe porque del uso eficiente de esos recursos depende el futuro de nuestras naciones. Su degradación empobrece a los países y envilece al medio ambiente. En la pérdida de ese incalculable patrimonio no solamente han actuado y siguen actuando negativamente los agentes económicos de la dependencia y de la libre empresa, sino que confluyen elementos culturales y socioeconómicos generados en el subdesarrollo.

I. RECURSOS NATURALES Y RECURSOS HUMANOS

Son *recursos naturales* los seres vivientes y sustancias minerales del planeta Tierra que el hombre utiliza (o podría utilizar) para su alimentación, construcciones, generación de energía y fabricación de bienes materiales. En la era espacial también deben computarse los recursos naturales potenciales de otros planetas y satélites del sistema solar. Si se regeneran cíclicamente se los considera recursos naturales renovables; de lo contrario son considerados recursos no renovables.

La mayoría de los recursos inorgánicos y algunos orgánicos no son renovables en el breve "tiempo humano" pero sí en el largo "tiempo geológico". Es el caso de los sedimentos de origen orgánico acumulados en el fondo de los océanos y que pueden, eventualmente, sufrir profundas metamorfosis a tal punto de generar rocas sedimentarias o depósitos de hidrocarburos. Se trata de procesos geológicos de larga duración que pueden dar origen a yacimientos minerales, incluidos los de petróleo, por lo que son considerados como recursos no renovables.

Recursos naturales renovables

Son los recursos bióticos animales y vegetales, y otros abióticos como el agua y los suelos, con una dinámica propia que motiva su permanente renovación. Sus elementos constitutivos, carbono, hidrógeno, oxígeno, nitrógeno, fósforo, etc., se encuentran en permanente circulación en la naturaleza a través de los ciclos biogeoquímicos.

La renovación parcial o total de la biomasa, en el caso de los bióticos, depende de las características biológicas del recurso y de las condiciones del medio ambiente. Algunos microorganismos, bajo determinadas condiciones, renuevan su biomasa en unas pocas horas mientras que los animales y vegetales superiores pueden tardar decenas de años y aun centurias. También existen recursos renovables no bióticos que sufren procesos de transformación y regeneración permanente como es el caso de los suelos y de las aguas (véanse "Ciclos biogeoquímicos" y "Ciclo del agua", cap. 1).

Tanto los ecosistemas naturales como los agroecosistemas, son sistemas de producción de recursos renovables que se generan a diferentes niveles tróficos: primario (vegetales), secundario (herbívoros), terciario (carnívoros). Los campos frutícolas, de hortalizas, cerealeros, de oleaginosas, de pastoreo, las granjas avícolas, los bosques y pastizales naturales, los ríos, lagos, mares y océanos, son los ecosistemas principales de cuya producción constante y equilibrada depende la economía humana.

Recursos naturales no renovables

Son las rocas, minerales y los combustibles fósiles. Muchos minerales pueden ser reutilizados aunque no hayan recuperado su composición original, como el hierro, el cobre, el aluminio y las piedras preciosas. Por el contrario, se pierde toda posibilidad de reutilización de los combustibles fósiles (carbón, petróleo), las rocas sedimentarias (sal, yeso) y de los minerales radiactivos.

Existen recursos naturales no renovables considerados como inagotables, como la energía solar. Producto de ella son todos los organismos y otras formas de energía (eólica, hidroeléctrica).

Recursos humanos

Los recursos naturales no son tales sin la participación humana. El hombre obtiene la energía para su propia subsistencia de los renovables y transforma los no renovables por medio de máquinas y herramientas. Actúa como una potencia natural. "El trabajo es, ante todo, un acto que se desarrolla entre el hombre y la naturaleza" razón por la cual los recursos humanos son los que movilizan la energía acumulada en los recursos naturales. De su educación, capacitación y fuerza de trabajo depende el uso racional, adecuado y permanente de los recursos naturales renovables o no.

Es peculiar de los países subdesarrollados el menoscabo de los recursos humanos. El analfabetismo, la ignorancia, la miseria, la morbilidad, son enormes limitaciones al desarrollo. En muchos países de América Latina y el Caribe hasta el 40 o 50% de la población económicamente activa suele permanecer ociosa. El impacto que ello provoca sobre los recursos naturales renovables suele ser devastador: agricultura de subsistencia en selvas y bosques, sobrecaza de animales silvestres, subutilización de la madera, etcétera.

II. RELACIÓN HOMBRE: RECURSOS NATURALES

Las relaciones del hombre con la naturaleza se han ido modificando a lo largo de su evolución. En sus orígenes fue un integrante más de los ecosistemas naturales y tuvo que luchar *a brazo partido* para poder subsistir frente a los factores adversos del medio: abióticos y bióticos. La lucha debió ser muy desigual y las poblaciones humanas sufrieron graves pérdidas frente a una pléyade de grandes mamíferos, enfermedades y alimentación deficiente. Se ha estimado que su longevidad en el Paleolítico era de unos 20 años.

Con cada nuevo adelanto el hombre fue ampliando su dominio sobre la naturaleza y con ella su propio horizonte, descubriendo constantemente en los objetos naturales nuevas propiedades hasta entonces desconocidas.[1] Con la fabricación de sus primitivas herramientas comenzó a independizarse de muchos factores ambientales; inició la construcción de su propio medio ambiente; logró nuevos medios de trabajo; sus elementales armas le permitieron una defensa más eficiente y un ataque más enérgico, por lo que agregó la caza y la pesca a la recolección; comenzó a disponer de alimentos en abundancia; la incorporación de la carne a su dieta favoreció su desarrollo físico e intelectual; el uso del fuego y la domesticación de animales aceleraron su proceso evolutivo.

Muchos pueblos americanos se encontraban en esta etapa cuando llegaron los conquistadores europeos. Entre sus restos arqueológicos se encuentran instrumentos y armas de piedra y hueso. En muchas localidades americanas existen pinturas rupestres con escenas de la domesticación y caza de animales; animales que comenzaban a ser modificados por el trabajo.

Cuanto más los hombres se distancian de los animales más influencia ejercen sobre la naturaleza; sus acciones son intencionadas con el fin de alcanzar determinados objetivos.[2] Al incorporarse la tierra como un nuevo medio de trabajo, nace la agricultura y se abren nuevas posibilidades en la utilización de los recursos naturales renovables. Las plantas son "domesticadas", cultivadas y modificadas por el trabajo. La revolución industrial de los últimos dos siglos ha hecho el resto: bueno y malo, pero siempre como expresión de nuevas formas de trabajo y utilizando a los recursos naturales, es decir, a la naturaleza, como materia prima indispensable.

El afán de progreso, de satisfacer sus necesidades y, por sobre todo, el afán de lucro de los dueños de los medios de producción, llevó a la sociedad industrial al desconcepto de que la naturaleza era su enemigo principal, por lo que se la debía *conquistar*, se la debía *doblegar*, se la debía *explotar*... Ya el Génesis lo aconsejaba: "procread y multiplicaos, y henchid la tierra; sometedla y dominadla sobre los peces del mar,

---

[1] F. Engels, 1876, *El papel del trabajo en la transformación del mono en hombre*, Moscú, Ed. Progreso, 1978.

[2] F. Engels, *ibid.*

sobre las aves del cielo y sobre los ganados y sobre todo cuanto vive y se mueve sobre la tierra..."

El avance de las ciencias naturales ha permitido conocer muchas de las leyes que rigen el funcionamiento de la biósfera. La ecología, como ya se ha dicho, es la rama de aquellas ciencias que permite una interpretación integrada de esos fenómenos. "Vamos aprendiendo poco a poco a conocer las consecuencias sociales indirectas y más remotas de nuestros actos de producción, lo que nos permite extender también a estas consecuencias nuestro dominio y nuestro control... Sin embargo, para llevar a cabo este control se requiere algo más que el simple conocimiento. Hace falta una revolución que transforme por completo el modo de producción existente hasta hoy día y, con él, el orden social vigente."[3]

III. DEPENDENCIA Y RECURSOS NATURALES

Las concepciones utilitaristas de la naturaleza tienen su máxima expresión en el colonialismo, el neocolonialismo y el imperialismo. Las guerras de conquista, el sometimiento de naciones, la explotación despiadada de los pueblos, han tenido como fin primordial la apropiación de los recursos naturales. Esos fenómenos sociopolíticos se han manifestado de muy diversas formas, pero siempre sojuzgando al hombre y explotando irracionalmente los recursos naturales. Los países del Tercer Mundo son un producto de aquella explotación. Españoles, portugueses, ingleses, alemanes, franceses, belgas, holandeses y, más recientemente, los norteamericanos, se repartieron las tierras, los recursos naturales y los hombres en Asia, África, Oceanía, América Latina y el Caribe.

La conquista de América por los españoles y portugueses fue uno de los grandes episodios colonialistas. Se sumó, en el Caribe principalmente la piratería inglesa, francesa y holandesa. Cuando las poblaciones indígenas fueron diezmadas, los esclavos africanos remplazaron la mano de obra autóctona acentuando aún más la explotación de la naturaleza. Se incrementó el comercio entre las nuevas tierras y las metrópolis y se inició el despilfarro de los recursos naturales. Los renovables se explotaron como si no lo fueran y los no renovables hasta su agotamiento. Comenzó el proceso de pauperización de los suelos, de los bosques y de la fauna silvestre. Otro tanto ocurría en Asia y África.

[3] F. Engels, *ibid.*

Galeano [4] narra dramáticamente la historia del colonialismo en América Latina. Entre los múltiples ejemplos de sobrexplotación de los recursos y del hombre refiere lo acontecido en Potosí (Bolivia) que, según los cronistas de la época era "la ciudad que más había dado al mundo..."; tal eran las cuantiosas riquezas extraídas de las entrañas de su cerro preñado de plata. La historia de esa ciudad, dice Galeano, "condenada hoy por la nostalgia, atormentada por la miseria y el frío, es todavía una herida abierta del sistema colonial en América: una acusación todavía viva..."

De los miles de socavones abiertos en el cerro de Potosí por los ocho millones de indígenas que allí quedaron sepultados, salieron las inmensas riquezas minerales que posibilitaron parte del desarrollo de las grandes potencias europeas de los siglos XVI y XVII. Ya en el siglo XVIII lo que había sido esplendor se había transformado en ruina y el cerro que había sido descabezado era un inmenso montón de escombros. Potosí tiene hoy tres veces menos habitantes que hace cuatro siglos. Los hombres y la naturaleza han sido explotados hasta su exterminio casi total [5] (véase p. 143).

Similares características tuvieron las imposiciones de los monocultivos del azúcar, del algodón, del café, del banano, en casi todos los países de la América Central y del Sur (figura 16). La mayoría de las islas del Caribe, las costas veracruzanas en México y las de Pernambuco en Brasil, son ejemplos de cómo los ecosistemas naturales fueron arrasados para imponer los cultivos azucareros. En grandes extensiones de Centro América y el Caribe los bosques de maderas preciosas fueron arrasados y quemados para introducir el cafeto y el banano. Se sobrexplotaron los suelos hasta su agotamiento y millones de africanos fueron sometidos a trabajos forzados hasta su exterminio. Algunas regiones de monocultivo dejaron de ser productivas, fueron abandonadas y las tierras se transformaron en eriales.

Con la independencia política de los estados la explotación de la naturaleza no habría de cambiar demasiado. Los españoles y portugueses fueron remplazados por el mercantilismo inglés, francés y holandés, que no modificó las prácticas ecocidas. Las nuevas empresas comerciales continuaron el acelerado proceso de sobreexplotación de los recursos naturales.

La introducción del ferrocarril en Argentina, siguiendo las rutas de los intereses británicos en el río de la Plata, fue

[4] E. Galeano, *Las venas abiertas de América Latina*, México, Siglo XXI, 23ª ed., 1979.
[5] E. Galeano, *ibid*.

causa importante del agotamiento y degradación de gran parte del bosque chaqueño. El quebracho, su principal recurso maderero, fue utilizado para la fabricación de durmientes de ferrocarril; los postes de menor envergadura se emplearon para alambrar miles de kilómetros de las grandes estancias y latifundios; la madera sirvió para la fabricación de tanino o bien se quemó en las calderas de las máquinas ferroviarias y de la incipiente industria. La tristemente célebre "Forestal Argentina", también de capitales ingleses, dejó como saldo de sus actividades millones de hectáreas desmontadas en donde la erosión hizo estragos. Los pueblos que se levantaron al abrigo de la explotación maderera pasaron a ser pueblos fantasmas perdidos entre las nubes de polvo en el norte de Santa Fe, Chaco, Santiago del Estero, Tucumán y Salta. Los pobladores emigraron hacia las grandes ciudades del litoral y cuando no, se transformaron en pobres pastores de cabras y carboneros.*

En las últimas décadas el colonialismo cambió de rostro en el Tercer Mundo. Ahora son las empresas transnacionales las que se benefician con la irracional explotación de los bosques, de los campos de pastoreo, de los recursos pesqueros y de las minas. Entre ellas, por ejemplo, la "Jari Forestal e Agropecuaria" que ha efectuado cuantiosas inversiones en la Amazonia brasileña. Las actividades de la "Jari" se iniciaron con la tala de 100 000 ha de selva en la que existen no menos de 300 especies diferentes de fanerógamas. Unas 95 000 plantas pueblan cada hectárea de selva cuya biomasa se acerca a las 1 000 ton; las acompañan no menos de 1 000 millones de pequeños animales cuyo peso asciende a unos 84 kg.[6] Las superficies desmontadas fueron reforestadas en base a un monocultivo de pino y melina. Se acabó así con el riquísimo patrimonio forestal de esa región y se amenaza con desencadenar procesos de inestabilidad ecológica como los que caracterizan a los agroecosistemas. La tala de la Amazonia está acabando además con los indígenas de la región. En el año 1964 se estimó en unos 200 000 a los nativos de la zona; la población es hoy tan sólo la mitad.[7]

En América Latina y el Caribe no menos importante ha sido la sobrexplotación de los recursos renovables acuáticos. El mayor impacto lo recibieron las poblaciones de mamíferos

---

* Un testimonio elocuente es el filme argentino *Quebracho*, dirigido por Ricardo Wülicher (1974).

[6] I. Restrepo, "¿El hombre más peligroso del mundo?", en *unomásuno*, México, 1979.

[7] *Ibid.*

marinos: lobos, elefantes, focas y ballenas. Fueron perseguidos hasta su exterminio parcial o total desde el sector antártico sudamericano hasta las costas de la península de Baja
California. Otro tanto ocurrió con las pesquerías, la explotación de esponjas y corales y con otros recursos, como se
verá en los próximos capítulos.

IV. LA DESERTIFICACIÓN

En ecología se entiende por desertificación la transformación
de sistemas terrestres productivos en eriales estériles. La
erosión eólica e hídrica es su manifestación más evidente. Se
ha visto que el equilibrio de los ecosistemas naturales es el
resultado de un largo proceso evolutivo que da como resultado la formación de comunidades estables. Cuando la sucesión ecológica ha concluido se encuentran comunidades clímax: selvas tropicales, bosques de coníferas, sabanas y
praderas. El equilibrio de la comunidad es el resultado de
las relaciones entre sus componentes, que se traduce en su
productividad y en su producción (véanse pp. 48ss.).

Cuando el hombre interviene en los ecosistemas naturales,
sobreexplotándolos o bien modificando los factores abióticos
(suelo, agua), se originan cambios inevitables. Se producen
la rotura del equilibrio ecológico y la caída de la producción
en perjuicio directo de la sociedad. Cuando esto tiene lugar
en zonas áridas o semiáridas el resultado final es la desertificación, un fenómeno que se retroalimenta. La desertificación genera mayor desertificación y el límite extremo es el
desierto. Todos los biomas terrestres (selva, bosque, pastizal, etc.) son susceptibles de degradación hasta alcanzar los
grados máximos de erosión y pérdida de los estratos fértiles
del suelo. Entre las principales causas de desertificación deben
señalarse el desmonte incontrolado, las prácticas agrícolas inadecuadas, la deficiente utilización del agua, el sobrepastoreo,
fenómenos que tienen su origen en causas tan diferentes como
son el atraso socioeconómico, las tradiciones culturales, el
uso y tenencia de la tierra y el rápido aumento de las poblaciones campesinas.

En todo el mundo la desertificación afecta a más de 900
millones de hectáreas de superficie que equivalen al 16% de
los desiertos naturales del planeta. Otros 3 000 millones
de hectáreas (20% del total de las tierras emergidas) se
encuentran en peligro de perder su capacidad productiva. La
degradación de los campos de laboreo en América Latina,

especialmente Argentina, Bolivia, Brasil, Chile, México y Perú, supera los 170 millones de hectáreas (figuras 23 y 24).

Se estima que unos 630 millones de personas viven en las regiones áridas y semiáridas del mundo en estado de extrema pobreza. Su migración en busca de trabajo hacia los cinturones marginados de las ciudades industriales, es uno de los fenómenos sociales más conmovedores de nuestro tiempo. Por ejemplo más de mil campesinos ingresan diariamente a las "ciudades perdidas" del Distrito Federal mexicano, como consecuencia de la desertificación y otros problemas agrarios.

México está situado en el cinturón desértico del planeta y su relieve, por lo general montañoso, favorece los procesos de degradación de los suelos. Grandes extensiones desérticas se extienden en la región septentrional (figura 23) entre las que cabe señalar las de Cananea y Altar (Sonora), Ocampo y Mapini (Coahuila y Durango), el Salado (San Luis Potosí), Samalayuca (Chihuahua), El Vizcaíno (Baja California Sur) y Berrendo (Baja California Norte). La superficie total del país es de 196.4 millones de hectáreas, de las cuales 22 millones (11.7%) se hallaban erosionadas en 1960. En 1980 esa superficie ascendía a 60 millones de hectáreas (30% de la superficie del país). Los estados más afectados por este avance del desierto son Hidalgo, Tlaxcala, Oaxaca, Puebla, Guerrero, México, Nuevo León y San Luis Potosí. Unos 100 millones de metros cúbicos de sedimentos son acarreados anualmente por la erosión hídrica, anegando lagunas, ríos y represas.

En la Alta Mixteca oaxaqueña la erosión afecta a unos dos millones de hectáreas. A pesar de que las lluvias anuales son escasas (300 a 600 mm) los fuertes chaparrones lavan los suelos en forma impresionante. Por ejemplo, el río Santo Domingo arrastra anualmente unos 10 millones de metros cúbicos de sedimentos que hacen innavegable al río Papaloapan, uno de los más importantes de la región. Ibarra [8] describe con dramaticidad la vida en la Alta Mixteca: "allí hay mucha gente que practica una agricultura de temporal que apenas si proporciona los elementos para vivir en la miseria; pobreza extrema apenas atenuada por una artesanía mal pagada. En Coixtlahuaca se pueden ver a esas gentes. Van por la calle con la mirada y el pensamiento perdido. Rostros sin esperanza, ojos sin brillo. Sus dedos se mueven mecánicamente en la confección de sombreros. Pueden estar haciendo cualquier cosa pero ese tejer desesperado nunca se suspende. Si

---

[8] J. L. Ibarra, "Una lucha desesperada para evitar que la tierra se vaya", en *El Día*, México, 27 de mayo de 1978.

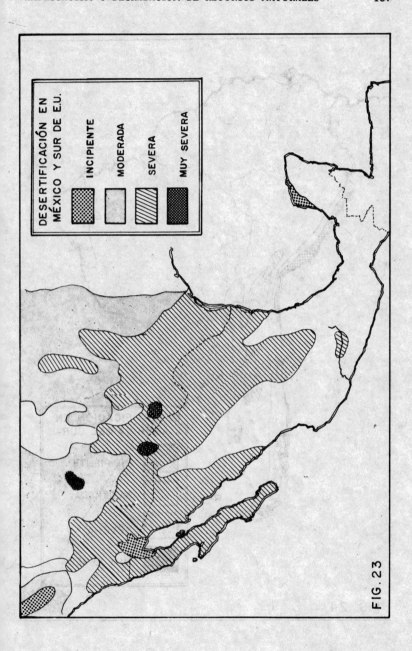

FIG. 23

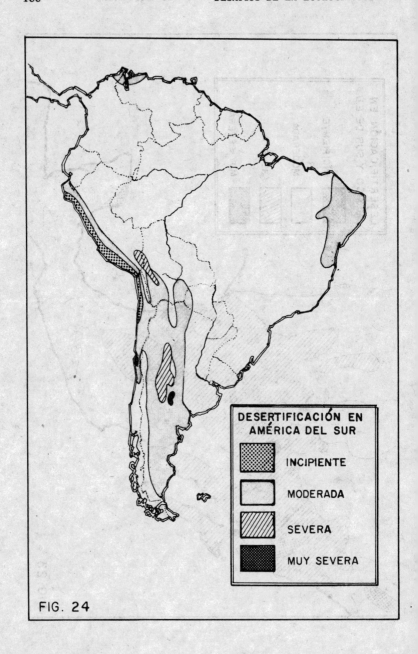

DESERTIFICACIÓN EN
AMÉRICA DEL SUR

INCIPIENTE

MODERADA

SEVERA

MUY SEVERA

FIG. 24

FIGURAS 23 Y 24

La desertificación en las regiones áridas de América.

Incipiente. No existe deterioro de la cobertura vegetal y del suelo o es muy imperceptible.

Moderada. Existe un evidente deterioro de la cobertura vegetal, o existen pequeñas dunas y cárcavas que indican una acelerada erosión, o donde la salinización de los suelos ha reducido la producción entre el 10 y el 25%.

Severa. Las malezas han remplazado a los pastos o existe una evidente tendencia a su remplazo, o la erosión ha denudado al suelo, o existen grandes cárcavas, o la salinización de los suelos ha reducido la producción en más del 25%.

Muy severa. Se han formado grandes cadenas de dunas, o se encuentran grandes cárcavas, o bien se han producido incrustaciones de sales sobre los suelos de irrigación que impiden su cultivo.

un día, por fin, llueve, la gente corre a sus parcelas, y pone la semilla que paliará el hambre. Pero la tierra se sigue yendo..."

Igualmente grave es la situación en el Valle de México donde la tala del bosque y el avance de la agricultura y de la ganadería de ocasión han provocado una acelerada erosión. El 23% de las tierras se hallan totalmente erosionadas (217 000 ha); el 29% (282 000 ha) presentan erosión grave; el 15% (137 000 ha) erosión moderada; y el 19% (175 000 ha) erosión incipiente. En este valle existieron cinco lagos que dieron vida a Teotihuacan primero y, más tarde, a Tenochtitlan.

Desforestación y erosión

Los bosques y las selvas ocupan el 20% de la superficie de los continentes y son, junto con los océanos, los reguladores del clima (véanse pp. 80ss.). Del fitoplancton marino y de las florestas depende la vida del hombre. La destrucción de selvas y bosques, así como la contaminación marina, ponen a la biósfera al borde de su destrucción. De la fotosíntesis que realizan los vegetales depende el equilibrio de los gases atmosféricos. Una hectárea de selva consume anualmente unas 3.7 ton de anhídrido carbónico y devuelve a la atmósfera 2 ton de oxígeno. Las forestas son también protectoras del suelo al regular el escurrimiento pluvial. Las raíces de los árboles facilitan la infiltración del agua y, a la vez, retienen los sedimentos. Cuando las cuencas de drenaje de los cursos de agua son desforestadas el escurrimiento de las aguas superficiales puede acelerarse hasta en un 150%. Las inundaciones salen de control y la erosión arrastra toneladas de suelo fértil azolvando ríos, lagos y represas.

Los bosques, especialmente los templados, ofrecen grandes superficies al pastoreo. En los montes de América Latina la cría de ganado es una práctica corriente aunque no siempre equilibrada con la conservación y regeneración del bosque. Al propio tiempo albergan a miles de especies animales que son control de plagas, polinizadores o son utilizados por el hombre como alimento. De los bosques han salido muchos de los animales que fueron domesticados.

En los Estados Unidos de América los bosques proveen materias primas para la confección de unos 5 000 productos industriales que tenían (1977) un valor aproximado de 23 000 millones de dólares. Esas industrias empleaban a 1.3 millones de personas y generaban salarios que representaban más de 6 000 millones de dólares.[9] Pero en los países del Tercer Mundo no se valora del mismo modo la riqueza forestal. Por lucro la mayor parte de las veces, por sostener economías de subsistencia, por ignorancia o sencillamente por apego a tradiciones culturales, el subdesarrollo es un implacable enemigo de los árboles. Detrás de la destrucción de las selvas y los bosques se ocultan siempre problemas económicos fundamentales como son el estancamiento de la agricultura, el crecimiento incontrolado de la población, el subempleo y la incapacidad de los gobiernos, que generan dependencia y subdesarrollo de la ciencia y de la tecnología.[10]

Las márgenes del mar Mediterráneo se hallaban antiguamente cubiertas de bosques pero su desaparición se aceleró a partir de los primeros siglos de nuestra era; durante la Edad Media las cabras y ovejas desertificaron la costa septentrional africana, España, Grecia y el sur de Francia e Italia. La erosión del manto fértil de los suelos fue la consecuencia del sobrepastoreo, se le sumaron prácticas agrícolas deficientes y muchas tradiciones culturales. Se consideraba, por ejemplo, que "el bosque era el enemigo del hombre" pues en él se ocultaban las fieras, las alimañas y los soldados enemigos..., por lo que se hacía necesario destruirlo. Así actuaron los conquistadores en América y, salvando las distancias históricas, ¿no fue acaso el argumento que esgrimieron los norteamericanos para destruir con herbicidas y desfoliantes los manglares de Indochina? En ellos se ocultaban los soldados enemigos...

En un siglo el colonialismo destruyó la mitad de la selva virgen de África ecuatorial pero la devastación aún continúa en la mayoría de los países del Tercer Mundo. Once millones de hectáreas forestales son destruidas anualmente en los países subdesarrollados donde la explotación maderera, el sobrepastoreo y la tala-roza-y-quema, causan la pérdida de ese enorme patrimonio. A fines del siglo pasado Madagascar tenía unos 20 millones de hectáreas forestales pero en menos de un siglo el 93% de ellas fueron arrasadas.

La colonización del oeste norteamericano fue uno de los episodios más terribles de erosión. Los inmigrantes comenzaron por talar los bosques con el fin de utilizar la madera como combustible, para la construcción de viviendas, el tendido de alambrados y la exportación. Los claros fueron cultivados y se originó el rápido agotamiento de los suelos.

[9] O. S. Owen, *Conservación de recursos naturales*, México, Ed. Pax-México, 1977.

[10] I. Restrepo, *op. cit.*

La agricultura se hizo trashumante y los campos abandonados fueron lavados por las lluvias y erosionados por el viento. En las Grandes Planicies se abrieron nuevas tierras áridas y semiáridas a la colonización; se desarrolló la ganadería extensiva y con ella vinieron el sobrepastoreo y la consiguiente erosión. A fines del siglo pasado ya la situación se había tornado crítica. Durante la primera guerra mundial aumentaron los requerimientos agrícolas y nuevas tierras fueron incorporadas al laboreo pero las grandes sequías de los años 1926-1931 produjeron una brutal erosión hasta alcanzar contornos espectaculares en 1934-1935. Una tormenta de viento que se produjo el 11 de mayo de 1934 en los estados de Kansas, Oklahoma y zonas limítrofes levantó 300 millones de toneladas de sedimentos. La erosión destruyó el manto de tierra fértil (5-30 cm) en 130 millones de hectáreas.[11] El fenómeno volvió a repetirse, en forma más atenuada, entre los años 1954 y 1957 produciéndose la erosión de unos 6 millones de hectáreas. El Servicio de Conservación de Suelos de Estados Unidos había puesto en práctica, para entonces, avanzadas técnicas de conservación.

Además de materia prima industrial la madera es una fuente de energía irremplazable para millones de personas pero, generalmente, la explotación industrial se anticipa a su utilización como leña. Cuando las maderas más valiosas se agotan ingresan los leñateros y carboneros. Durante siglos la industria maderera fue un monopolio de los países desarrollados que, para sostenerla, debieron someter a intensa explotación los recursos forestales de los países pobres. Éstos, mientras tanto, dependieron de la leña como combustible fundamental.

Para que los recursos forestales sean realmente un recurso renovable se requieren políticas de control y manejo que, únicamente podrán tener validez si están fundadas en el conocimiento del ecosistema. Desdichadamente en los países subdesarrollados los estudios forestales son incipientes, fragmentarios o no existen y cuando se dictan legislaciones preventivas de conservación lo más frecuente es que no se cumplan. Las empresas madereras hacen *tabla rasa* con los recursos sin medir las implicancias posteriores. La tala supera a los ritmos de regeneración; las comunidades clímax se desequilibran y son remplazadas por comunidades secundarias de poco valor que crecen sobre suelos erosionados.

En América Latina y el Caribe la explotación forestal fue una de las actividades comerciales que se iniciaron inmediatamente después de la conquista. Los bosques no sólo fueron

[11] O. S. Owen, *op. cit.*

cortados sino que ardieron para dar paso al monocultivo. Refiere Galeano [12] que "los cronistas de otros tiempos decían que podía recorrerse Cuba, a todo lo largo, a la sombra de las palmas gigantescas y los bosques frondosos, en los que abundaban la caoba y el cedro, el ébano y los dagames. Se puede todavía admirar las maderas preciosas de Cuba en las mesas y en las ventanas del Escorial o en las puertas del palacio real de Madrid, pero la invasión cañera hizo arder, en Cuba, con varios fuegos sucesivos, los mejores bosques vírgenes de cuantos antes cubrían su suelo. En los mismos años en que arrasaba su propia floresta, Cuba se convertía en la principal compradora de madera de los Estados Unidos. El cultivo extensivo de caña, cultivo de rapiña, no sólo implicó la muerte del bosque sino también, a largo plazo, la muerte de la fabulosa fertilidad de la isla. Los bosques eran entregados a las llamas y la erosión no demoraba en morder los suelos indefensos; miles de arroyos se secaron. Actualmente, el rendimiento por hectárea de las plantaciones azucareras de Cuba es inferior en más de tres veces al de Perú y cuatro veces y media menor que el de Hawaii."

La piratería inglesa hizo su parte. El archipiélago de las islas de la Bahía (Honduras), como muchas otras islas del Caribe, sirvió durante años a los corsarios y bucaneros que, como es bien conocido, se dedicaban al tráfico de esclavos, al robo y al saqueo, en sus luchas contra el predominio español en la región.

Los puertos naturales de las islas Utila, Roatán y Guanaja sirvieron de base para sus tropelías y algunos de ellos funcionaron como astilleros navales. Se inició así el desmonte de las islas; sus mejores maderas fueron utilizadas en la construcción de barcos y viviendas y exportadas a Europa. La quema del bosque para habilitar pequeñas parcelas de cultivo y el corte de leña hicieron el resto. En la isla Guanaja, por ejemplo, no es posible encontrar un solo ejemplar de pino caribe o de roble, a no ser los sembrados en los últimos años como parte de un modesto plan de reforestación. En Roatán sólo quedan algunos relictos. La erosión se ha agudizado debido al abrupto relieve y un bosque secundario, con predominio de malezas, ha remplazado a la primitiva floresta.

El despilfarro de maderas en los países subdesarrollados ha sido y es inaudito. El desmonte se practica sin políticas de reforestación que protejan al recurso. Un solo número del *New York Times* o de cualquier otro diario importante sig-

---

[12] E. Galeano, *op. cit.*

nifica el sacrificio de varias hectáreas de bosques canadienses o tropicales. La sociedad consumista quema miles de toneladas diarias de papel en forma de periódicos, la mayor parte de los cuales son intrascendentes y sirven tan sólo para aumentar el consumismo. Se suman miles de toneladas de envases y cartones de todo tipo que sólo son reciclados en una mínima parte.

La demanda de maderas crece constantemente y, en especial, los bosques tropicales continúan siendo devastados. El mundo desarrollado importó 4.2 millones de metros cúbicos de maderas duras tropicales en 1950, y en 1973 esa cifra se había elevado a 53.3 millones. Se estima que para el año 2000 ese requerimiento llegará a 95 millones de metros cúbicos. Las compañías madereras que manejan este comercio son por lo general transnacionales con sede en los Estados Unidos, Japón y Europa, sin cuyos aportes financieros los países subdesarrollados no podrían manejar semejante tráfico.[13]

CUADRO XVI

CONSUMO DE MADERAS TROPICALES INDUSTRIALES [14]
(millones de metros cúbicos)

País/Región	1950	1960	1970	1973	1980	1990	2000
Japón	1.5	4.6	20.1	28.9	35	38	48
Estados Unidos	0.8	2.2	5.1	7.2	10	15	20
Europa	1.9	6.2	10.5	17.2	21	27	35
TOTAL	4.2	13.0	35.5	53.3	66	80	35
Regiones productoras tropicales	21.0	34.0	42.6	46.5	66	117	185
Resto del mundo	1.0	2.1	4.2	9.0	13	18	23
TOTAL GENERAL	26.2	49.1	82.5	108.8	145	215	303

Leña, carbón y subdesarrollo. La madera ocupa el cuarto lugar entre los combustibles, a continuación del petróleo, el

[13] N. Myers, "¿Quién tiene el hacha por el mango?", en *Mazinguira* núm. 6, PNUMA, Nairobi, 1978.
[14] N. Myers, *ibid.*

carbón de piedra y el gas natural. La leña y el carbón vegetal representan aproximadamente la mitad del total de la madera consumida. Dos mil millones de personas dependen de su energía para cocinar y calefaccionar sus hogares. Ambos son el combustible del mundo subdesarrollado, que las grandes poblaciones de América Latina tienen al alcance de su mano. No es posible diseñar políticas efectivas de conservación de los bosques y matorrales si los campesinos no tienen otra alternativa más que la leña para cocinar sus pobres platos de maíz, frijoles o mandioca. ¿De qué otra forma podrían combatir las frías noches del altiplano boliviano o del sur chileno y argentino?

La leña y el carbón resultan cada día más escasos y mucho más caros. Los recursos forestales se agotan y las dificultades para juntar leña aumentan. Andando por el estado de Yucatán (México) en abril de 1980 se ha visto como la bicicleta ha remplazado al burro leñatero debido a las distancias que separan los lugares de producción de los centros de consumo. En Tikul, pequeño poblado con reminiscencias mayas, un pequeño atado de leña costaba entonces el equivalente de medio dólar.

El agotamiento de los recursos forestales genera un empobrecimiento secundario del suelo al usarse el estiércol de ganado como combustible ("leña e' vaca", como se dice en el campo argentino). Se sustrae a los suelos una de las formas más importantes de reciclado de nutrientes. Las laderas de los valles andinos del Perú, Bolivia y noroeste de Argentina se hallan despobladas de árboles. ¿Qué otro medio les quedaba a los quechuas, aimaraes y calchaquíes que utilizar la madera de sus arbustos? Según estadísticas de la FAO [15] el consumo de leña por habitante en América meridional es uno de los más altos del mundo: 1.03 m³ habitante al año. Seguramente esta cifra es mucho más elevada en los contrafuertes andinos, desde Chile hasta Colombia. El burrito leñatero es una imagen constante a lo largo de toda América Latina, es el símbolo de la erosión y el subdesarrollo.

Pero el uso irrestricto de la leña como combustible no ha sido únicamente una práctica de los campesinos. El avance del ferrocarril en los países coloniales o dependientes ha provocado estragos. Los bosques de cedros azules del Líbano también fueron destruidos para alimentar las calderas del ferrocarril Estambul-El Cairo, y las maderas nobles del bosque chaqueño, como ya se ha dicho, sirvieron durante muchos años para impulsar los ferrocarriles ingleses de Argentina.

[15] FAO, *Anuario de productos forestales*, Roma, 1973.

Tala, roza y quema

En América Latina y el Caribe el talar y quemar el bosque para abrir pequeñas parcelas de cultivo, es una práctica prehispánica que aún perdura. La cubierta vegetal en los bosques y selvas tropicales apenas si tiene unos pocos centímetros de espesor. Ello significa que su capacidad de producción es mínima. Una vez desmontado el suelo sólo produce unas pocas cosechas. Agotados los suelos, el campesino opta por abandonar su parcela y abrir otro claro en el bosque. El viejo solar será inexorablemente erosionado por el agua y el viento. Es la agricultura trashumante o, como bien se le llama en México, "la milpa que camina".

Paticularmente dramática resulta la situación de la selva lacandona (sudeste de México). La tala, roza y quema ha provocado la pérdida de más de 500 mil hectáreas de suelos. Duby Blom [16] relata de esta forma la situación que se vive en la región:

"Una gran riqueza se hizo humo y cenizas. Sobre la tierra quemada salieron colonias miserables donde en primitivas chozas viven gentes en condiciones infrahumanas. Pasamos por una casa al lado de una rozadura nueva donde una inmensa caoba yace en el suelo, ardiendo todavía. Una mujer sale y nos pide latas usadas. Las latas usadas, junto a miles de pesos quemados, son un lujo..."

Es el drama de la inmensa pobreza frente a la incalculable riqueza que no se sabe aprovechar. Los indios lacandones que sembrarán una pequeña milpa, son víctimas, no victimarios de la selva. Sus suelos se agotarán rápidamente y deberán emigrar para volver a repetir la operación un poco más adelante.

La selva lacandona cubría en 1974 una extensión de 13 588 230 ha en los estados mexicanos de Campeche, Yucatán, Quintana Roo, Chiapas, Tabasco y Oaxaca. Es considerada como una reliquia para el país, no sólo por su riqueza maderera, sino también por la vegetación y fauna acompañante de los grandes árboles, cuyo valor es poco conocido. Entre las maderas más finas se destacan el cedro, la caoba, la primavera, el zapote y la ceiba sagrada, cuyo volumen maderable se calcula en 1 184 millones de m^3. Como ejemplo ilustrativo de su calidad se hallan las ruinas mayas donde los templos poseen dinteles y vigas de madera tallada que datan de 1 200 años. La producción de rizomas de barbasco, una enre-

[16] G. Duby Blom, "Continúa implacable la destrucción de la selva lacandona", en *El Gallo Ilustrado* (suplemento del periódico *El Día*), núm. 875, México, 1979.

FIGURA 25

La crisis energética del hombre pobre. A. La mitad de la población mundial depende de la madera como combustible y el 45% de los árboles se consumen como leña. B. La buena administración de un bosque de 10 ha permitiría surtir de leña a 1 000 familias de un país subdesarrollado, suponiendo que se racionalizara su uso. C. El ahorro de leña depende de los diseños de cocinas que se utilicen: 1, modelo tradicional que desperdicia hasta el 94% del calor; 2, el uso de madera seca reduce las pérdidas en un 10%; 3, un diseño mejorado reduce las pérdidas en un 20%; 4, un diseño más avanzado de la cocina y de los recipientes puede reducir las pérdidas en un 30%. (Tomado del Programa de Naciones Unidas para el Medio Ambiente (PNUMA).

dadera rica en esteroides, alcanzó en 1974 a unas 15 327 ton con un valor aproximado de 15 millones de dólares. En 25 años México ha producido unos 2 millones de toneladas de barbasco seco que equivale a unos 1 000 millones de rizomas frescos. En diez años, las seis empresas extranjeras que lo procesaron obtuvieron ganancias de 6 000 millones de dólares mientras que a los campesinos sólo les tocó el 2% de la ganancia total. La goma de mascar obtenida del chicozapote llegó en 1972 a unas 1 400 ton que tuvieron un valor superior a los 2.5 millones de dólares. Por fin la selva es un reservorio de germoplasma de incalculable valor. Pero aún la selva lacandona alberga otros recursos potenciales de plantas alimenticias y medicinales no estudiadas en su verdadero valor.[17]

Durante los 75 años de vida del cacique Chank'in se produjeron grandes cambios "en el verde y mágico mundo de los lacandones". Su territorio fue invadido pacíficamente por forasteros que han causado tremendos impactos destructivos. El hombre se convirtió desde entonces en explotador de los hacheros. Los lacandones son recompensados con baratija y sufren los efectos de una tremenda desculturización. Han cambiado el arco y las flechas por la escopeta y el cuchillo de piedra por el machete. Han aprendido a beber aguardiente y han incorporado a su organismo la gripe, el sarampión y las enfermedades venéreas.[18] Se calcula que la región tiene unos 150 000 habitantes en aumento permanente por la inmigración procedente de los estados vecinos. Campesinos sin tierra y sin trabajo se refugian en la selva en busca de subsistencia. Nace así la "milpa que camina" que se une a la despiadada explotación maderera. Hacia fines de la temporada seca de 1975 el uso del fuego había alcanzado tal magnitud que el gobernador del estado de Chiapas debió anunciar angustiado que su estado estaba ardiendo... En algunas oportunidades el humo fue tan denso que debieron suspenderse vuelos de líneas aéreas. En Campeche se calcula que el promedio anual de quemas es de unas 100 000 ha.[19] El proceso continúa inexorablemente...

[17] G. Halffter, *Colonización y conservación de recursos bióticos en el trópico*, México, Instituto de Ecología, 1976.

[18] N. A. Camacho López, "3 000 kilómetros cuadrados de selva lacandona, destruidos por el hombre", en *Excelsior*, México, 14 de marzo de 1976.

[19] G. Duby Blom, *ibid*.

Agricultura, ganadería y erosión

Como en el caso de la desforestación son varias las causas que se conjugan en la relación existente en prácticas agropecuarias y desertificación. Se suman razones históricas, culturales y socioeconómicas.

En la Mesopotamia, esa tierra milenaria del Asia regada por los ríos Éufrates y Tigris, donde florecieron las culturas asiria, caldea y babilónica, las planicies de inundación fueron aprovechadas para desarrollar una pujante agricultura que nació, allí mismo, hace unos 7 000 años. En esas tierras existieron intrincados sistemas de canales de riego y diques de contención. Su alta producción hizo florecer a ciudades como Babilonia.

Paralelamente, las cuencas de drenaje de los ríos comenzaron a ser desmontadas, sobrepastoreadas y, por consiguiente, erosionadas. Los sedimentos se fueron acumulando, no sólo en el cauce de los ríos y en su desembocadura en el golfo Pérsico, sino que anegaron los canales de riego. Esto ocurría hace ya unos 3 000 años a.c. Las luchas y guerras regionales contribuyeron también al deterioro de todo el sistema hasta que los bárbaros conquistaron la región entre los años 1200 y 1300 a.c. Se produjo el derrumbe total de la economía regional que continúa produciendo pero a un costo muchísimo mayor.

Cuando los romanos llegaron al norte de África, en el siglo I de nuestra era, hallaron una región en plena producción agraria y establecieron allí asentamientos humanos importantes. Se expandió el cultivo de cereales y del olivo, y el pastoreo de ovejas y cabras. Entre los centros más prósperos se destacó Timgad. Durante el siglo VII se intensificó el pastoreo debido a la conquista de la región por tribus nómadas. Paralelamente se agudizó la erosión eólica y se inició una rápida degradación de los ecosistemas. La erosión llegó a ser tan severa que la propia ciudad quedó sepultada para siempre bajo grandes montículos de arena. Su redescubrimiento arqueológico se ha producido no hace mucho tiempo.

Los nómadas que viven al sur del Sáhara, en el Sahel, han practicado el pastoreo desde tiempos remotos y, más al sur, cultivos estacionales sometidos a periódicas sequías. Su penuria se mantiene hasta nuestros días. En los últimos 50 años más de 6 millones de hectáreas de tierras útiles han sido tragadas por el desierto. Los períodos de sequía se hacen cada vez más dramáticos. Como resultado del último período de sequía extrema que se inició hace unos diez años, la

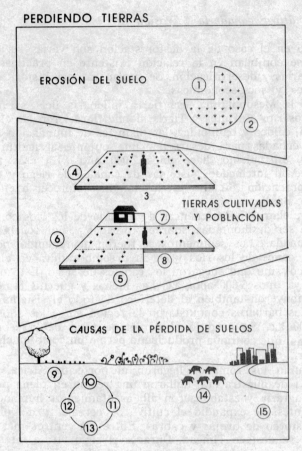

FIGURA 26
La pérdida de suelos útiles y las actividades humanas. En los
últimos 100 años el 25% de los suelos (1) se han perdido por
erosión en todo el mundo de las tierras destinadas a cultivos (2).
El total de tierras cultivadas (3) se estima en 1 240 millones de
hectáreas; en 1975 la superficie percápita era de 0.31 ha. Para
el año 2000 la superficie de tierras cultivadas se habrá reducido
a 940 millones de ha (5) por lo que corresponderá 0.15 ha percápita (6). Media ha se habrá perdido por urbanización y otra
media por erosión (7) y solamente se habrá incorporado un
cuarto de tierras nuevas. Entre las causas de la pérdida de suelos
se encuentran la tala de árboles (9); el riego sin drenaje (10) que
eleva las sales a la superficie (11) y anega el suelo (12) produciendo cada año la pérdida de unas 300 000 ha (13); el sobrepastoreo (14) y la urbanización (15). Tomado del Programa de las
Naciones Unidas para el Medio Ambiente (PNUMA).

agricultura de Mauritania, Alto Volta, Malí, Níger, Chad, Senegal y Gambia han quedado en estado de penuria. Entre 100 mil y 250 mil personas murieron de inanición; 2 millones de pastores perdieron el 50% del ganado y 15 millones de campesinos el 50% de sus cosechas. Todos tenemos en mente las fotografías aterradoras de los niños de Biafra. Hubo regiones del Alto Volta en donde murió el 80% de los habitantes. El desierto del Sáhara había avanzado 650 mil ha.[20]

Aunque en otro contexto histórico y social ya se hizo referencia a la dramática situación generada en el oeste de los Estados Unidos de América durante el proceso de colonización de las grandes planicies. Tampoco la Unión Soviética ha quedado al margen de la voladura incontrolada de suelos. En Ucrania por ejemplo, la erosión ha inutilizado 12.5 millones de hectáreas con los consiguientes perjuicios para la agricultura. También en la URSS, los avances realizados en la protección de suelos han sido importantes; la plantación de grandes fajas forestales y la apertura de grandes canales de irrigación han cambiado la fisonomía y la producción en extensas regiones.[21] Estas grandes obras no pueden realizarse en los países subdesarrollados si no se cuenta con un apoyo incondicional y masivo de los países ricos.

En América Latina: latifundios, transnacionales y erosión. La expansión de la ganadería juega un papel muy importante en los procesos de desertificación, especialmente en regiones áridas y semiáridas. En la selva lacandona la ganadería extensiva ha seguido al desmonte y a la agricultura de subsistencia. Esta situación se extiende por casi toda América Central, donde la producción de carne vacuna de exportación se ha duplicado en los últimos decenios. En general se trata de grandes latifundios en manos de la oligarquía o de grandes compañías extranjeras, en especial firmas comerciales norteamericanas. Otro tanto ocurre en la Amazonia brasileña y en el Chaco argentino-paraguayo donde "The King Ranch of Texas", "Mitsui" del Japón, "Liquigas" de Italia y "Volkswagen" de la R. F. de Alemania han hecho cuantiosas inversiones.

El 75% del territorio argentino sufre una u otra forma de erosión. Latifundio, sobrepastoreo y manejo inadecuado de los suelos son las razones principales de este dramático deterioro ambiental. Toda la región semiárida que abarca la

[20] PNUMA, *Los desiertos y la acción humana. Día mundial del medio ambiente*, México, 1978.
[21] B. Voltovski, "Ucrania lucha para proteger su medio natural", en *El Correo de la UNESCO*, julio, 1971.

formación fitogeográfica del Espinal y parte del Chaco (20%
del país) ha sido sometida a una explotación agrícola-ganadera
y forestal (ya se hizo referencia a la explotación del quebracho) que ha dado como resultado la degradación del tapiz
natural y el aumento de la erosión eólica que incluye el oeste
de la rica provincia de Buenos Aires. Las consecuencias de
este desequilibrio ecológico han sido la pauperización campesina y una declinación de la producción natural que se
manifiesta en períodos de ganadería mayor que pasa a la
cría de cabras, luego a la explotación forestal para la producción de rollizo y finalmente a la explotación forestal para
la producción de carbón. Esta degradación ha provocado la
desaparición de algunas especies animales y vegetales por
sobrexplotación o alteración de los ecosistemas.

La situación del territorio argentino es particularmente
grave si se considera que la erosión eólica afecta al Chaco
semiárido, al Espinal, al Monte y a la Patagonia; la erosión
hídrica al faldeo de los complejos serranos pampeanos, sub-
andinos, precordilleranos y de la cordillera occidental; que
en el área de los pastizales subhúmedos y semiáridos del NE
la invasión de leñosas ha sido acelerada por sobrepastoreo.
Únicamente en la provincia de Formosa se pierde el 12% de
la superficie cada diez años.[22] Grandes extensiones de la pampa húmeda, donde se concentra la mayor producción cerea-
lera, se ven sometidas periódicamente a graves inundaciones,
que son el resultado de una canalización irracional que no
solamente provoca el lavado de los suelos y su salinización,
sino también hacen más graves los períodos de sequías.[23]
En abril de 1980 se produjo una de las más graves inundaciones sobre 4 millones de hectáreas, de las mejores del país, que
quedaron por muchos meses bajo las aguas.

La degradación de los ecosistemas rurales se encuentra a
lo largo de toda América Latina donde los latifundistas, que
representan el 8% de los propietarios, acaparan el 85% de
las tierras. En El Salvador, por citar un país donde la crisis
ha superado lo imaginable y donde la propiedad de la tierra
se concentra en unas pocas familias, el 77% del territorio
sufre procesos de erosión acelerada. Predominan los monocultivos algodoneros y .cafetaleros.

---

[22] Jorge Morello (*com. pers.*)
[23] S. R. Olivier, "Sequías, inundaciones y aprovechamiento de
las lagunas bonaerenses", en revista *Agro* núm. 6, La Plata, Argentina, 1961.

V. EL EXTERMINIO DE LA FAUNA

El aniquilamiento de la fauna silvestre no es un hecho nuevo. Los animales han sido la víctima propiciatoria desde tiempos remotos y la extinción de especies viene siendo denunciada incansablemente en los cinco continentes.

El hombre ha utilizado a los animales desde la más remota antigüedad. Fueron su fuente de sustento mucho antes de que fabricara instrumentos de caza. Cuando era recolector acopiaba huevos y pequeños animales junto a frutos, hojas y raíces. Los insectos, para cuya captura no se necesitan armas especiales, son todavía hoy fuente de proteínas para muchos pueblos, sea por razones culturales o por necesidad; los huevos de aves silvestres y de reptiles brindan alimento de primera calidad. Con la fabricación de sus primeras armas el hombre inició la caza mayor que le permitió mejorar su dieta proteica; comenzó el lento y arduo trabajo de la domesticación. La fauna silvestre no fue sólo fuente de sustento sino también materia prima esencial para la construcción de viviendas, confección de vestimentas y otros atavíos personales.

Cuando los conquistadores llegaron a América los pueblos indígenas vivían en íntima relación con la fauna. Los yamanas y alakalufes, por ejemplo, que habitaban las frías regiones fueguinas, se protegían del clima untando su cuerpo con grasa de lobos marinos y ballenas. Así podían introducirse en las aguas heladas para recoger mariscos (mejillones, cholgas y caracoles). Los onas y tehuelches de la Patagonia, que no fueron pueblos canoeros, tuvieron una economía fundada en la caza de mamíferos y aves (guanaco, liebre patagónica, ñandú). Sus tiendas eran construidas con la piel del guanaco, animal que también utilizaban en la fabricación de indumentarias y enseres de caza. La casi totalidad de los pueblos americanos utilizaron las multicolores plumas de las aves, los vistosos élitros de los coleópteros tropicales, las conchas de moluscos, los huesos y cornamentas, como elementos decorativos.

La fauna silvestre ha tenido un papel preponderante en las religiones de los pueblos americanos. Algunos animales fueron transformados en deidades, como fue el caso de la serpiente emplumada (víbora de cascabel), Quetzalcóatl para los toltecas, Kukulcán para los mayas. Tanto fue así que es el elemento decorativo más importante de las majestuosas pirámides de Teotihuacan, Chichen-Itzá, Uxmal y otros centros ceremoniales. Los frisos y bajorrelieves están adornados de águilas, pumas, jaguares y guacamayas. En la cerámica y la orfebrería de las culturas americanas, desde México hasta Argentina y Chile, predominan los elementos zoomorfos. En las artesanías actuales se repiten insistentemente las figuras de insectos, peces, anfibios reptiles, aves y mamíferos. Ese mundo mágico de los pueblos americanos se sintetizó además en la música, en el canto y la danza. La fauna silvestre ha formado parte y constituye, aún hoy, un elemento preponderante de la vida cotidiana, artística y cultural de los pueblos.

Los animales son componentes básicos de los ecosistemas que contribuyen a su equilibrio dinámico. Son control natural de las plagas de la agricultura, de los bosques y de los animales domésticos; aseguran la polinización de muchas plantas; mantienen la fertilidad de los suelos; purifican el agua, limpian de restos animales y vegetales los campos; sirven a la investigación científica; y aunque en muchos casos son perjudiciales (animales ponzoñosos, vectores de enfermedades, parásitos, etc.), muchas de las características negativas que se les atribuyen son a veces producto de la imaginativa popular.

Gran número de especies animales han sido perseguidas hasta su exterminio. La mayoría por afán de lucro, otras para satisfacer necesidades elementales, pero generalmente por ignorancia o irresponsabilidad. Suman cientos las especies de animales superiores que han sido exterminadas por el hombre en todo el planeta y decenas de ellas pertenecieron a la fauna americana. Muchas más han encontrado refugio en recónditos lugares donde el hombre aún no ha arremetido con su furia destructiva.

Particularmente dramático ha sido el exterminio de la paloma migratoria norteamericana (*Ectopistes migratorius*) que durante la temporada invernal poblaba desde los bosques de México hasta Colombia y Venezuela. Fue el ave más abundante de la Tierra. Una enorme bandada que fue vista sobre la planicie de los Estados Unidos de América en el siglo XIX, estaba formada por unos 2 000 millones de individuos... Su delicada carne desató una bárbara persecución. Miles de cazadores utilizaron las más diversas formas de matanza: armas de fuego, redes, garrotes, incendios y dinamita... El último representante de la especie murió en el zoológico de Cincinnatti en 1914.[24]

La destrucción de la fauna silvestre significa la pérdida de un patrimonio incalculable para la humanidad. El daño es más sensible debido a que la extinción de muchas especies

[24] O. S. Owen, *Conservación de recursos naturales*, México, Ed. Pax-México, Librería C. Césarman, S. A., 1971.

se produce sin que se conozca su verdadero valor, el papel que juegan en la naturaleza, sus potencialidades biológicas y las posibilidades reales de su utilización. La conservación de la fauna como recurso natural renovable y su aprovechamiento racional depende en gran medida del desarrollo científico que puedan alcanzar los países subdesarrollados.

Durante muchos años se ha tratado de salvar este patrimonio con la creación de reservas y parques nacionales. La experiencia de los países de América Latina y el Caribe muestra que esa política es insuficiente y en la mayoría de los casos ineficaz. No se trata de legislar creando reservas. Las leyes deben efectivizarse haciendo que las áreas reservadas sirvan como laboratorios naturales de investigación y experimentación. Deben tomarse medidas complementarias que eviten la invasión de los predios por campesinos sin tierra, la caza furtiva, la introducción de especies exóticas y toda una serie de medidas conservacionistas que hacen posible la transformación de esas reservas en un patrimonio de la sociedad.

Desequilibrio de las poblaciones animales

Las causas que provocan la desestabilización de las poblaciones animales tienen diversos orígenes. En principio se pueden citar tres: sobrexplotación comercial; alteración de los ecosistemas naturales o su remplazo por ecosistemas urbanos o rurales; y uso abusivo de los recursos que originan las economías de subsistencia. En ciertas ocasiones esas acciones se superponen y confunden. Además de los apuntados, existen otros impactos menores como son la persecución de animales por móviles culturales (religión, fetichismo, brujería); por considerárselos dañinos o plaga, cuando realmente no lo son; y por atribuirle fiereza que no tienen.

Como se ha enfatizado al tratar la desertificación, detrás del exterminio de la fauna silvestre también se esconden profundas causas socioeconómicas: grandes núcleos de población marginada, rezago económico, dependencia, ignorancia generalizada sobre la importancia de su conservación y ausencia de políticas educativas, científicas y tecnológicas, adecuadas a las necesidades de los países subdesarrollados.

Comercialización y exterminio. En América Latina y el Caribe el aprovechamiento de los recursos animales se inició en estrecha vinculación con la explotación de los bosques y de los recursos mineros. La exportación de animales vivos hacia Europa tuvo origen en una simple curiosidad y con-

cluyó siendo un remunerativo negocio. Los productos de
origen animal como cueros, pieles, plumas, perlas, conchas
y corales, ingresaron al comercio con tanto éxito como lo
tenía el tráfico de metales preciosos.

La cochinilla, un insecto hemíptero del que se extrae una
tintura textil de hermoso color grana, fue uno de los primeros
recursos en llamar la atención de los conquistadores de la
Nueva España. Para entonces los colorantes procedían del
Lejano Oriente y eran extremadamente caros. La cochinilla
vive sobre las pencas del nopal (tuna). Los indígenas habían
desarrollado su crianza y las técnicas extractivas de la grana
antes de la llegada de los españoles. En los primeros años
del coloniaje su comercialización llegó a ser tan grande que
a mediados del siglo XVI la producción en la región de Tlaxcala se calculaba en unos 175 kg semanales. Su precio oscilaba en los 900 pesos oro el kilo. El valor comercial equivalía
al del oro o la plata.[25]

Desde entonces, la historia del uso y abuso de los recursos
animales americanos ha sido una constante: un nuevo recurso remplaza a otro que ha sido expoliado y que a su vez
es utilizado hasta su exterminio.

Cuando Cristóbal Colón llegó a las costas venezolanas de
Cumaná permutó con los indígenas "collares de vidrio" por
perlas naturales. Éstas procedían de bancos ostrícolas de
la región. Evidencias de una gran riqueza abrieron la voracidad de los comerciantes sevillanos que equiparon las primeras expediciones con el fin de iniciar la explotación de un
recurso no menos precioso que el oro y la plata. Las dificultades que hallaron los emisarios para cumplir su cometido
hicieron que el negocio pasara a manos de mercaderes de La
Española, que utilizaban el sistema de trueque. La prosperidad del negocio fue tan grande que en 1515 se fundó el
asentamiento de Nuevo Cádiz, en la isla Cubagua, lo que
permitió intensificar aún más la explotación de los placeres,
utilizando mano de obra esclava. Indios y negros fueron de
este modo los primeros buceadores que registra la historia
americana. Según relatos de la época, los buzos descendían
atados de una soga y con una piedra como lastre; las ostras
se colectaban en canastos. El oficio resultó agotador y muy
peligroso. Las lesiones y muertos por descompresión y excesos en la inmersión hicieron estragos entre los esclavos. La
corona "prohibió" el empleo en esa actividad de los indios
libres que no prestaran conformidad. Se trató de mejorar
las técnicas de recolección empleando rústicas rastras y equi-

[25] R. Konetzke, "América Latina", II. *La época colonial, Historia
Universal Siglo Veintiuno*, vol. 22, México, Siglo XXI, 1976.

pos de buceo, pero todos los intentos fracasaron. Entre 1530 y 1535 la extracción perlera en la región de Cubagua fue tan grande que comenzaron a advertirse signos de sobrexplotación. El negocio se trasladó entones a la vecina isla Margarita y a las costas entre Rioacha y cabo de la Vela. Hacia fines del siglo el comercio llegó a ser tan próspero que la corona recibió unos 100 000 ducados anuales en concepto de tributos. Se intentó regular la explotación perlera pero todo fue en vano.[26] El recurso terminó siendo aniquilado.

Lo acontecido en las costas de Venezuela se repitió a todo lo largo del litoral americano donde fueron hallados bancos de ostras. Los relatos sobre lo acontecido en la península de Baja California (México) es elocuente. En esta región las perlas eran conocidas por los indios de la zona que las utilizaban en la fabricación de collares y otros adornos. No tardaron los conquistadores en ver la oportunidad de traficar y en 1534 hicieron los primeros trueques. A partir de entonces se inició una explotación descontrolada e ininterrumpida que duró hasta las primeras décadas del siglo XX. Hasta mediados del siglo XVIII la pesca de perlas californianas fue realizada por los indios yaquis, que procedían de la costa oriental del golfo; hacia 1768 comenzaron a participar los indios autóctonos. Tanto los yaquis como los guaycuras y los pericúaes, fueron víctimas de una feroz explotación. El "buceo" debió ser un verdadero tormento para esos hombres habituados a nadar pero muy mal nutridos. Los accidentes, aunque trabajaran en aguas someras, eran frecuentes. La descompresión les producía sangrías por narices y oídos. Ya para entonces habían surgido fuertes acaparadores y comerciantes en Loreto y Mulegé.[27] Un siglo después la explotación se intensificó al adquirir valor las conchillas (la concha nácar) que se utilizaba en Europa para la fabricación de joyas. Para entonces comenzaron a notarse evidencias de sobrexplotación. El agotamiento de los placeres se hacía inevitable. Con la introducción de la escafandra de buzo se inició otro nuevo período de la explotación ostrícola. Se hizo posible el acceso a los bancos ubicados hasta 20 metros de profundidad que no habían sido alcanzados por los buceadores primitivos. Hacia 1920-1925 la madreperla había desaparecido del puerto de La Paz y de sus alrededores. Otro tanto ocurría con los placeres litorales desde Loreto hasta Cabo San Lucas. Sólo quedaban como reservas los bancos de las islas Espíritu

[26] R. Konetzke, op. cit., 1976.
[27] J. M. Esteva, "Memoria sobre la pesca de la perla en la Baja California, en A. López Cruz (1977), Las perlas de Baja California, México, Departamento de Pesca, 1857.

Santo, San José y Cerralvo. No pasarían muchos años sin que ellos fueran también saqueados. Grandes fortunas se amasaron en la región gracias al exterminio del recurso y a la explotación inmisericorde de los indígenas.[28]

Es posible que todavía se estén recogiendo los últimos representantes de la especie en solitarios parajes de la península, a pesar de las restricciones impuestas por las autoridades mexicanas. Las perlas siguen siendo atractivas y los métodos de buceo ya no son los mismos...

Durante la época colonial la caza de ballenas fue un monopolio de la corona española que a partir de 1603 se había asegurado la explotación de un recurso cada día de mayor demanda en el mercado europeo. Sin embargo los ingleses y franceses comenzaron a interferir en su caza y comercialización. En 1764 los franceses establecieron una colonia pesquera en Port Louis (Isla Soledad en las Malvinas) e iniciaron la explotación regular de los lobos marinos. Por su parte los ingleses se instalaron en Port Egmont, Isla Sounders, también perteneciente al archipiélago de las Malvinas pero, en este caso, bajo protección armada.[29]

Si bien las matanzas de lobos (*Otaria flavescens* y *Arthocephalus australis*) y elefantes marinos (*Mirounga leonina*) se iniciaron en las Malvinas, pronto se extendieron a otras regiones. En las islas Georgias del sur, donde se llevaron a cabo verdaderas hecatombes, en el verano de 1800-1801 se mataron 112 000 lobos correspondiendo el mayor "mérito" al barco "Asparsia" con 57 000 ejemplares. El capitán Weddell que visitó Georgia del sur en 1822 calculó que entre los años 1775 y 1820 se habían sacrificado no menos de 1 200 000 animales. En las islas Shetlands del sur ocurrió otro tanto; en 1819 un sólo barco sacrificó 50 000 lobos y en el verano de 1821-1822 se mataron 320 000 individuos. En 1885 un barco de reconocimiento encontró en las islas Georgia del sur solamente dos lobos, pero para 1906 la especie se había recuperado de tal modo que se cazaron 22 484 ejemplares. El último representante en la isla fue muerto en 1915.[30]

Después de la independencia de las Provincias Unidas del Río de la Plata las autoridades de Buenos Aires comenzaron a preocuparse por los recursos pesqueros de la Patagonia, que estaban siendo expoliados. Durante el gobierno de Martín

[28] Anónimo, *Anales del Ministerio de Fomento de la República Mexicana*, tomo VIII, Oficina tipográfica de la Secretaría de Fomento, 1887, en A. López Cruz, *op. cit.*

[29] A. Cabrera y J. Yépez, *Mamíferos Sudamericanos*, Buenos Aires, Ed. Comp. Argentina de Editores, 1940.

[30] A. Cabrera y J. Yepes, *ibid.*, 1940.

Rodríguez (1821) se hizo una formal denuncia y se acometió la difícil tarea de crear una compañía nacional de pesca. Se prohibió la matanza de lobos hembras y sus crías, se reglamentó la pesca y se recomendó suspender el sacrificio de los elefantes marinos por varios años. Para entonces no menos de 60 navíos ingleses y norteamericanos se dedicaban al faenamiento de ballenas, focas, elefantes y lobos en aquellas latitudes. Se aprovechaban sus finas pieles y con sus grasas se fabricaban aceites industriales; un lobo mediano rendía entre 20 y 25 litros de aceite.

La matanza de lobos y elefantes se transformaba en una acción infernal. Los loberos, munidos de fuertes garrotes, y a riesgo de sus propias vidas, destrozaban el cráneo de los animales para evitar que la piel se dañara. Los sacrificios se realizaban en tierra evitando que los lobos regresaran al mar. Las disposiciones del gobierno de Buenos Aires no se respetaban por lo que en 1831 fueron detenidos varios barcos pesqueros, entre los que se encontraba la goleta norteamericana "Harriet". Dos años más tarde los ingleses ocuparon militarmente las islas Malvinas, no sólo para controlar el tráfico marítimo por el estrecho de Magallanes, sino también para proteger a sus barcos balleneros. Hoy las siguen ocupando aunque el interés petrolero de la región ha desplazado al de la caza y la pesca marítimas.

Las correrías de los barcos loberos se extendieron tanto por el Atlántico como por el Pacífico sur, llegando hasta el río de la Plata, por un lado y a las islas Galápagos, por el otro. Toda clase de aventureros y traficantes, de muy diversas nacionalidades, se dedicaron a este exitoso negocio. La situación perduró hasta las primeras décadas de este siglo. A partir de los años treinta el gobierno argentino dictó algunas medidas proteccionistas que concluyeron con la prohibición total de su explotación. Algunos relictos de lobos y elefantes se recuperan satisfactoriamente y son una atracción turística. En la isla de Lobos (Uruguay) existe una experiencia alentadora sobre el control y manejo de una población de lobos de dos pelos *(Arcthocephalus australis)*. Se calcula que existen allí unos 60 000 animales cuya producción anual es de unas 17 000 pieles y 35 000 litros de aceite. El Servicio Oceanográfico y de Pesca del Uruguay controla eficazmente la explotación.

El mar peruano es uno de los más ricos del mundo. Cerca de sus costas afloran las aguas frías de la corriente de Humboldt que, provenientes del sur de Chile, llegan cargadas de nutrientes que le han aportado los fondos oceánicos. Una tenue niebla ("garúa" o "camanchaca") cubre frecuentemente el cielo costero con lo que la fuerte insolación tropical se reduce y se favorece el proceso fotosintético. Las microscópicas algas marinas se transforman en un inmenso "campo de pastoreo" para la anchoveta (Engraulis ringens), pez pelágico eminentemente herbívoro. Hace algunos años sus existencias habían sido estimadas en 15 a 20 millones de ton, pero el ecosistema no es estable. Con un cambio de las condiciones climáticas los vientos, que son predominantemente marinos, pasan a ser continentales; se producen cambios oceanográficos y penetra sobre la costa una corriente cálida que, procedente de Ecuador, impide el afloramiento de las aguas frías. La productividad primaria decrece y los stocks de anchoveta bajan por falta de alimento. También es probable que el fenómeno interfiera en su proceso reproductivo.

El ecosistema del mar peruano se integra también con inmensas colonias de aves oceánicas que tienen su principal fuente de sustento en la anchoveta. Durante siglos ellas han acumulado sobre los acantilados e islas litorales impresionantes cantidades de guano. Este fertilizante orgánico fue un recurso natural renovable que Perú vendió por años en el mercado internacional antes de que fuera desplazado por los productos químicos.

En la década de los años sesenta se produjo un sorprendente crecimiento de las pesquerías peruanas. En 1970 operaban unas 1 250 bolicheras (barco pesquero de anchoveta). La producción, que era de algunos miles de toneladas, pasó a ser de varios cientos de miles y, al cabo de algunos años, de millones de toneladas. Decenas de fábricas de harina de pescado se instalaron a lo largo de toda la costa. Perú se transformó en la primera potencia mundial pesquera al llegar su producción a cerca de 13 millones de toneladas. Grandes empresas transnacionales se apoderaron del negocio. La harina de pescado (con 100 kg de anchoveta se obtienen 20 kg de harina y algo menos de aceite) se vendió a los países desarrollados para alimentar sus cerdos y aves de corral. Las exportaciones llegaron a significar el 30% de las divisas producidas por el comercio exterior pero gran parte de la población peruana continuó padeciendo de desnutrición crónica. La sobrepesca no tardó en manifestarse. Ya no eran los cambios oceanográficos periódicos los que determinaban las mermas de producción sino que la tremenda explotación estaba causando estragos y desestabilizaba todo el sistema productivo. Las aves guaneras murieron por millones ante la falta de sustento y la industria pesquera fue a la ruina. Actualmente se pretende su rehabilitación con la explotación de otros recursos pero manteniendo la misma estructura económica. Las consecuencias volverán a ser catastróficas muy probablemente, pero es muy difícil pronosticar qué evolución tendrá el ecosistema degradado.

Cambios que se operan en los sistemas ecológicos. Ya se ha visto cómo la transformación de los ecosistemas ha hecho intolerable la vida en muchas regiones del planeta. Muchas veces los desequilibrios provocados por la actividad humana no llegan a ser tan profundos pero, de todos modos, algunos componentes vivos de los ecosistemas se hacen raros y terminan por desaparecer.

Todos los organismos poseen cierta capacidad para adaptarse a los cambios ambientales. La tolerancia es muy variable, según las especies y si los márgenes de resistencia son muy estrechos, lo más probable es que la densidad de la especie disminuya considerablemente. Los animales que integran comunidades climáxicas poseen adaptaciones especiales que no les permiten sobrevivir bajo otras condiciones ambientales. Pero, al propio tiempo, la regresión ecológica, al eliminar restricciones naturales al desarrollo de algunas poblaciones, puede determinar que ellas se conviertan en especies plagas o perjudiciales.

El desarrollo económico ha hecho necesaria la modificación del equilibrio dinámico en que se encontraban muchos ecosistemas con el fin de aumentar la productividad y la producción. La alteración de cadenas tróficas, el remplazo de los productores primarios, de los herbívoros y de los carnívoros es una práctica frecuente en agricultura, ganadería, piscicultura, etc. Al propio tiempo la introducción de fertilizantes en los agroecosistemas, por ejemplo, cuyo objetivo es acelerar los ciclos biogeoquímicos con el fin de aumentar la producción, pueden causar serios trastornos en ecosistemas vecinos (véase p. 163). Tal es el caso de cuerpos de agua dulce que, al recibir una carga suplementaria de nutrientes por arrastre de las aguas de lluvia, aumentan su capacidad productiva originándose floraciones de algas microscópicas cuyas toxinas producen grandes mortandades de peces.

Las intervenciones del hombre en los ecosistemas naturales se hacen con el objetivo de mejorar su eficiencia productiva, por lo que se tiende a simplificar su estructura concentrando la acumulación de energía en un sólo nivel trófico (véase cap. 1). La simplificación estructural genera mayor inestabilidad del ecosistema, a tal punto, que si se lo abandona se originan procesos de regresión ecológica tales como la desertificación, la invasión de malezas, la salinización de suelos y otros fenómenos similares, que hacen abatir la producción.

La plasticidad que poseen muchas de las especies cultivadas ha hecho posible que su mayor producción se alcance fuera de su centro de origen. Por ejemplo, los cultivos de cereales tales como el maíz y el trigo, o la cría de ganado. La introducción de los bovinos en América no sólo mejoró el porte de las diferentes razas sino que aumentó su potencial reproductivo y la calidad de sus carnes. Pero, así como ha ocurrido con especies útiles también ha sucedido con animales indeseables; es el caso de la introducción de especies que se transforman en plagas y de la difusión de enfermedades epidémicas.

Cuando en 1835 Carlos Darwin cruzó las pampas argentinas observó que las fértiles praderas estaban pobladas por una multitud de animales entre los que sobresalían dos ungulados: el ciervo de las pampas (*Blastoceros campestris*) y el guanaco (*Lamma guanicoe*). De acuerdo con su relato las poblaciones de ciervos eran tan densas que cubrían prácticamente los campos. Un siglo después, otro gran naturalista, Joaquín Frengüelli, iría a fundar una hipótesis según la cual muchas de las lagunas pampeanas tendrían su origen en "revolcaderos de guanacos". En esos sitios, la eliminación del tapiz vegetal habría favorecido la erosión eólica, por lo cual los revolcaderos se profundizaron hasta que sus cuencas fueron capaces de retener el agua de la lluvia. Las lagunas son ecosistemas estabilizadores en el gran ambiente pampeano

Durante siglos los indios pampas y tehuelches desarrollaron sus primitivas culturas en estrecha vinculación con aquellos animales. Dependían de su carne (fresca o en charqui) y con sus pieles construían las tolderías y sus vestimentas; con los tendones fabricaban cuerdas para sus arcos y boleadoras y con los huesos puntas de flecha, puntas de lanzas y elementos decorativos. Como no disponían de cabalgadura su capacidad de caza era limitada. Las poblaciones de venados y guanacos no recibían mayor impacto. Durante siglos la pradera, con su carga de animales silvestres y hombres, constituyó un gran ecosistema en equilibrio.

Cuando Pedro de Mendoza fundó la ciudad de Buenos Aires en 1536, introdujo el caballo y la vaca, dos animales que habrían de modificar profundamente al ecosistema pampeano. Teniendo a su disposición enormes pastizales y grandes aguadas (lagunas) comenzaron a reproducirse libremente y a competir con los herbívoros autóctonos por su nicho ecológico. El indio domesticó el caballo y aprendió a montar; adquirió mayor capacidad de caza y tuvo a su disposición nuevas fuentes de alimentación. La población indígena aumentó; se hicieron dueños de los campos y haciendas y eso originaría, años después, una lucha a muerte con el colonizador criollo.

A mediados del siglo pasado se inició en Argentina el período histórico de la unificación nacional. Se afianzó la naciente oligarquía ganadera y latifundista y se inició "la conquista del desierto". Un desierto que no era tal y una conquista que significó el exterminio de los indios y el alambrado de los campos. Se consumó así uno de los tantos genocidios que han ocurrido a lo largo de la historia americana. Se consiguió eliminar al principal depredador del ganado, al indio. El resto de los carnívoros y los herbívoros no tuvieron mejor suerte. La transformación de la pampa se completó con la colonización agraria iniciada a fines del siglo pasado. Extensas regiones de la pradera se transformaron en trigales. Argentina se erigió en el "granero del mundo" y su carne comenzó a abastecer los mercados más exigentes. Los colonos iniciaron la introducción de especies exóticas para remplazar las que se iban extinguiendo. Muchas se adaptaron rápidamente y prosperaron hasta convertirse en plagas. Tal es el caso de la liebre europea, del ciervo europeo, del jabalí, del gorrión y de tantos otros animales y plantas que transformaron profundamente ese mundo maravilloso que describiera Guillermo Hudson. Pero la erosión muerde ya los talones de la pampa húmeda...

Los cambios que suelen producirse en los ecosistemas acuáticos no son menos elocuentes. La construcción de represas, la modificación de los cursos de agua y la introducción de especies, producen serios trastornos en la estructura ecológica de ríos, lagos y embalses. Por ejemplo, el potencial pesquero de los principales ríos del estado de São Paulo (Brasil) (Tieté, Piracicaba, Pardo, Mogí Guazú, Grande, Paranapanema, Paraná y Paraiba), ha disminuido a raíz de la construcción de represas y a la contaminación industrial.[31] Las consecuencias que tendrán sobre la fauna del sistema hidrológico Paraná-Uruguay-Plata la construcción de represas son impredecibles (véase p. 66). Unas 150 especies de peces pueblan las aguas de esos ríos y son fuente de alimentación de las poblaciones ribereñas. Algunas de ellas realizan grandes migraciones reproductivas y tróficas no bien conocidas; mucho menos se sabe sobre la capacidad adaptativa que tienen para soportar los cambios ecológicos que se avecinan. La introducción de la trucha arco-iris (Salmo gairdnerii) ha provocado en

---

[31] H. Nomura y N. Castagnolli, "Reseña sobre el potencial pesquero de las aguas abiertas del Brasil", en La Acuicultura en América Latina, Roma, FAO, 1977.

Colombia la desaparición de peces nativos como *Trichomycterus astroblepus* y el runcho o pez gado, *Rhizosomichthys totae*, género monotípico endémico de la laguna de Tota. Otras especies han disminuido en forma alarmante frente al impacto de la introducción de la carpa *(Ciprinus carpio)* y de la tilapia *(Tilapia* spp.).[32] Situaciones semejantes se repiten en todos los países de América Latina y el Caribe.

La virtual extinción de la totoaba *(Cynoscion macdonaldi)*, un gigantesco pez del golfo de California (México), se debe también a cambios operados en el ecosistema a los que se les sumó la sobrepesca. Durante las primaveras las totoabas realizaban una migración reproductiva desde las profundas aguas del mar de Cortés a la desembocadura del río Colorado. Su pesca comercial se inició en Guaymas, cuando algunos pobladores de origen chino descubrieron el valor culinario de su vejiga natatoria. Tan alto fue el precio comercial que alcanzó la vejiga que cientos de toneladas de su exquisita carne se pudrieron en las playas; los ejemplares más grandes llegan a tener hasta 2 m de largo y a pesar unos 100 kg. Cuando la pesca comenzó a escasear en la zona de Guaymas los pescadores se trasladaron hacia el norte hasta encontrar las áreas de concentración para el desove. Pueblos enteros de pescadores surgieron en la región cuando la carne de totoaba comenzó a ser vendida en el mercado norteamericano. La pesca se hizo brutal utilizando todo tipo de redes, arpones, anzuelos y explosivos. Pero la situación empeoró aún más a partir de los años cuarenta cuando las aguas del río Colorado comenzaron a ser embalsadas para riego. Se modificaron entonces las condiciones ecológicas del estuario del río y la reproducción de la totoaba se vio seriamente afectada. Grandes extensiones del estuario se hicieron hipersalinas y quedaron vedadas para la reproducción de ese pez. En 1975 sólo se pescaron 58 ton. Los últimos representantes de esta valiosa especie están siendo involuntariamente eliminados por los barcos arrastreros que se dedican a la pesca del camarón.[33]

[32] INDERENA, "Informe sobre la situación de la acuicultura en Colombia", en *La Acuicultura en América Latina,* Roma, FAO, 1977.
[33] J. Berdegue A., "La pesquería de totoaba en San Felipe, Baja California", *Rev. Soc. Mex. Hist. Nat.,* 16, México, 1955; J. Hendrickson, *Totoaba: sacrifice in the gulf of California, Ocean. Mag.,* septiembre de 1979.

Economías de subsistencia y exterminio de la fauna

Como se ha ejemplificado en los capítulos precedentes la fauna silvestre ha significado disponibilidad de proteínas para los pueblos primitivos de América. Esa subordinación no se ha cancelado, sino que, por el contrario, se ha acentuado en América Latina y el Caribe. La existencia de grandes masas de población marginada y subocupada ha transformado a la fauna silvestre en alimento vital para millones de personas.

Estadísticas de la Organización de las Naciones Unidas han mostrado reiteradamente que las tres cuartas partes de la población latinoamericana sufren alguna forma de hambre, manifiesta u oculta. La dieta de la inmensa mayoría de las clases pobres está compuesta por harinas (mandioca, frijol, maíz, arroz) mientras que las proteínas animales se hallan casi ausentes. Ésta es la razón de la creciente presión que esas poblaciones ejercen sobre los recursos faunísticos: mariscos, peces, reptiles, batracios, aves y mamíferos. También ingresa a su dieta una variada fauna de invertebrados terrestres y acuáticos. Como sentenciaba el *Martín Fierro* "todo bicho que camina va a parar al asador..." que traducido a nuestro lenguaje significa que cuando las necesidades apremian todo animal es bueno para mitigar el hambre. Y así es la realidad de nuestros campos y de nuestra América. Lo muestra elocuentemente la dieta de los campesinos de Guerrero (México) en la que no se desprecian chapulines (saltamontes), chinches verdes y de agua, iguanas, víboras y culebras...

Podría hacerse una larga lista de las especies silvestres que sirven de sustento al hombre americano. Se incluirían los peludos de las pampas argentinas y los manatíes del Caribe; las vizcachas del Chaco semiárido y las chachalacas de la selva tropical húmeda centroamericana; el capibara de la cuenca del Orinoco y los monos de la selva amazónica; el surubí de la cuenca del Plata y el arapaima del Amazonas; el yacaré sudamericano y el caimán caribeño... Es un inmenso patrimonio que se extingue, frente a la indiferencia de las clases dirigentes y a las necesidades crecientes de las poblaciones marginadas. Es una fauna que se extingue, dejando tras de sí nichos ecológicos vacantes que, en el mejor de los casos, serán ocupados por especies con menos facultades adaptativas y menor productividad. Parece ser un triste destino para una fauna sin igual, por su diversidad, por su belleza y por su valor potencial.

La situación es particularmente grave en las islas del Caribe donde las poblaciones humanas son muy densas y provocan fuertes impactos sobre la fauna silvestre. En las islas de la Bahía (Honduras) se pueden hallar esas muestras de aquel proceso de exterminio. Un siglo después que las islas fueron ocupadas por los españoles la población indígena había desaparecido y en 1797 llegó a Roatán un contingente de 5 000 negros caribe. Se agregaron después otros procedentes de las islas de Gran Caimán y de las Antillas Menores. Abandonados a su propia suerte por la piratería inglesa, sin útiles de labranza, sin armas y con lo puesto (si es que lo tenían) debieron apelar a todos los recursos para sobrevivir.

Las riquezas naturales de las islas y de los arrecifes coralinos permitieron que sobrellevaran el aislamiento a que habían sido condenados. Las colinas más altas estaban cubiertas de bosques de coníferas (véase capítulo 1, figura 3); sobre las costas había cinturones de cocoteros y en el extremo oeste existían sabanas y manglares con lo que se aseguraba la existencia de una variada fauna silvestre. Así lo confirmó Orlando Roberts, viajero inglés que visitó el archipiélago entre 1816 y 1823, quien observó que "Roatán estaba cubierta de árboles... y que en los bosques abundaban el pecarí y los venados, además de palomas, loros y otras aves que formaban bandadas de millares de individuos..." Henry Barnsley, en 1862, ratificó estas observaciones al decir que "había una rica fauna silvestre, abundantes tortugas y peces finos, venados y chanchos de monte que vivían en bosques de pinos y encinos". William D. Strong, en 1935, observó que la fauna de las islas de la Bahía era prácticamente igual a la que vivía en Honduras continental, incluyendo mamíferos como el jaguar *(Felis onza)*, el ocelote *(F. pardalis)*, el manatí *(Trichechus manatus)*, el venado *(Odocoileus virginianus)*, el pecarí *(Tayassu tajacu)* y el aguatí *(Dasyprocta punctata)*. Además, se había incorporado a la fauna salvaje el cerdo doméstico, introducido por Hernán Cortés, existían unas 100 especies de aves y abundaban las víboras, iguanas, lagartijas y cocodrilos.[34]

El impacto producido por la caza de subsistencia y comercial sobre la fauna del archipiélago ha sido tremendo. Poco o nada queda de aquellos recursos mientras que la fauna arrecifal soporta los estragos de la sobrexplotación artesanal y turística.

Los ecosistemas continentales de la costa hondureña se

[34] Para mayores detalles consultar "Informe de la misión del Programa de las Naciones Unidas para el Medio Ambiente (PNUMA) a Honduras, 1977" de Santiago R. Olivier, PNUMA, México.

hallan sometidos a una presión semejante. Son las "tierras calientes", cubiertas por la selva tropical húmeda, que se extiende desde Yucatán hasta el norte de Sudamérica. En la región de Tornasal (norte de Tela, Honduras) existe un parque natural que es paso obligado para aves migratorias que invernan en América Central, islas del Caribe y América del Sur. Esa rica fauna ha sido alimento tradicional de las poblaciones locales, en especial la perdiz grande *(Tinamus major)*, la gallina de monte *(Crypturellus soui)*, la perdiz de montaña *(C. boucardi)*, la codorniz *(Colinus nigrogularis)*, las palomas *(Zenaida asiatica, Columba flavirostris, Leptotila plumbeiceps, L. cassini* y *Claravis pretiosa)*, el pavón *(Crax rubra)*, la pava crestuda *(Penelope purpurascens)*, la chachalaca o faisán *(Ortalis vetula)* y el pavo ojudo *(Agriocharis ocellata)*. Debido a su exquisita carne o a sus huevos todas han sido perseguidas hasta desaparecer de extensas áreas. Otro tanto ocurre con el venado de cola blanca, el puma, el ocelote, el jaguar, el pecarí, el manatí, la nutria *(Lutra annectena)*, el mono negro *(Allouata palliata)*, el mono capuchino *(Cebus capucinus)*, el mico común *(Ateles geoffroyi)*, el mico león *(Potos flavus)*, la comadreja *(Philander oposseum)*, el mapache *(Procyon lotor)*, el coatí *(Nasua narica)*, el lobo guayanoche *(Jentinka sumichrastris)*, el perico ligero *(Tayra barbara)*, las ardillas *(Sciurus* spp.), el aguatí *(Dasyprocta punctata)*, el armadillo *(Dasypus noyencinctus)*, etcétera.

El Salvador es uno de los países centroamericanos donde la situación ambiental es más crítica. Allí se han extinguido el mono aullador, el jaguar, el tapir, el oso hormiguero *(Myrmecophaga trydactila)* y el perezoso *(Bradypus grisseus)* mientras que el puma, el ocelote, el venado de cola blanca, la comadreja, la nutria, el cuche de monte *(Tayasso tajacu* y *T. pecari)*, el venadito rojo *(Mazama americana)* y el coyote *(Canis latrus)* se encuentran al borde de su desaparición.[35] Si bien la economía de subsistencia de las poblaciones rurales juega un importante papel en la extinción de la fauna superior no menos importantes son los cambios operados en los ecosistemas, cuyos efectos se han tratado con anterioridad.

Las tortugas marinas representan un recurso natural importante. Son cazadas o pescadas desde épocas prehispánicas en las costas tropicales del océano Atlántico, desde el golfo de México hasta el norte de América del Sur y en las del

[35] PNUMA, *Estudio exploratorio de la situación ambiental en América Latina*, II, El Salvador, Oficina Regional, México, 1976; H. E. Daugherty, *Conservación ambiental en El Salvador*. El Salvador, Ed. Fundación H. Sola *(fide* PNUMA *op. cit.)*, 1973.

océano Pacífico, desde el golfo de California hasta Colombia y Ecuador. Las especies más buscadas son la tortuga verde *(Chelonia mydas)*, la tortuga de carey *(Eretmochelys imbricata)*, la tortuga cahuama *(Caretta caretta)*, la tortuga laud *(Dermochelys coriacea)* y la tortuga lora *(Lepidochelys olivacea* y *L. kempi)*. Todas ellas brindan carne de alta calidad, con sus grasas se fabrican aceites y con el caparazón, especialmente de la tortuga carey, se hacen botones y artículos decorativos (broches, hebillas, peines, pulseras y collares). Sus huevos son apetecidos por el alto valor nutritivo. Todas las especies realizan migraciones reproductivas a las playas arenosas donde depositan, cada una, entre 100 y 200 huevos. El saqueo de los nidos resulta tan incontrolable que en México fuerzas militares custodian las áreas de procreación. A pesar de su alto potencial biótico las tortugas han desaparecido de la mayor parte de las costas accesibles de Centroamérica. Trabajos especiales de protección y trasplante se realizan en varios países (Costa Rica, México, Honduras) pero, ya se dijo, son poderosas las razones sociales que amenazan a la mayor parte de la fauna silvestre en los países subdesarrollados.

EPÍLOGO

La humanidad se enfrenta a un futuro incierto. El advertir sobre esta perspectiva no significa adherirse a las tesis catastrofistas sino que implica reconocer una realidad objetiva. El mundo padece hambre y despilfarro de recursos, insalubridad en asentamientos humanos, contaminación ambiental generalizada y destrucción de ecosistemas naturales. Además, un accidente nuclear serio puede poner en peligro la estabilidad de la biósfera. Hay que reconocer que nubarrones sombríos se avizoran sobre las jóvenes generaciones.

Se tiene plena confianza en el hombre y se cree que su evolución dará como resultado un hombre nuevo, producto de una nueva sociedad. Pero ese hombre y esa sociedad sólo serán el fruto de un clima de justicia social y de paz.

El porvenir es particularmente incierto en los países subdesarrollados. Su empobrecimiento desesperado es el resultado de siglos de explotación sin límites de la naturaleza y de sus recursos humanos. La ecología, al ser ciencia integradora, se esfuerza por comprender mejor las interrelaciones existentes entre los medios ambientes físico y humano y el desarrollo equilibrado de la sociedad. Para alcanzar esos objetivos se requiere de esfuerzos científicos interdisciplinarios.

Los países subdesarrollados no poseen recursos científicos y tecnológicos con los cuales enfrentar los problemas derivados del uso eficiente y equilibrado de la naturaleza. Sin embargo, algunos de esos países hacen esfuerzos por crear una infraestructura científica como Cuba, México y Venezuela que han puesto tal énfasis en la educación a todos los niveles que permite predecir un profundo cambio en los próximos decenios.

La formación de escuelas científicas, y entre ellas las de ciencias ecológicas y ambientalistas, requieren largos y sostenidos esfuerzos. Formar un investigador científico que trabaje independientemente, significa no menos de quince años de labor educativa a nivel universitario. Pero esto es posible si un país cuenta con maestros capaces de formar científicos. De no contarse con experiencia en el campo de esas ciencias lo más probable es que muchos esfuerzos se esterilicen. En la investigación científica la experiencia es irremplazable, pero ella sólo se alcanza a costa del esfuerzo cotidiano, perseverante y abnegado. El científico no es un burócrata. La obtención de un título universitario, por más elevado que sea, no acredita automáticamente como investigador. El investigador científico es el resultado de un largo proceso de trabajo experimental que va conformando nuevas ideas y mostrando nuevas realidades objetivas. No necesariamente todos los egresados universitarios estarán en condiciones de acceder a la investigación. Se requiere vocación y disciplina muy férreas para alcanzar éxitos significativos.

Así como existen en América Latina países que buscan consolidar una infraestructura científica, hay otros en que se observa una rápida regresión cuyos alcances no es posible predecir. Argentina, Chile y Uruguay, países que tienen una larga tradición educativa originada en cambios profundos operados hacia fines del siglo pasado, padecen en la actualidad el rezago impuesto por la nueva inquisición que se expresa por la intolerancia ideológica, la censura y la represión. El desarrollo de las ciencias parece estar detenido. El éxodo de miles de profesionales y académicos y drásticas medidas coercitivas que limitan la capacidad y las posibilidades de trabajo de las instituciones científicas y educativas, es un fiel reflejo de esa situación. Este ejemplo es ilustrativo: el presupuesto total para la educación en Argentina es aproximadamente igual al presupuesto de la Universidad Nacional Autónoma de México; durante 1980 el presupuesto asignado a la cultura en Argentina significó el 0.4% del presupuesto total de la nación.

No hay duda de que en las universidades del Cono Sur de América Latina, ahora envilecidas, se estarán incubando los gérmenes de un nuevo cambio, pero la recuperación del tiempo y de los valores perdidos no podrá hacerse jamás. A la ciencia de aquellos países le llevará décadas para alcanzar alguna vez un nivel de prestigio internacional.

La ciencia y la tecnología avanzan a pasos agigantados. El abismo que separa a los países desarrollados de los subdesarrollados es cada vez más profundo. Cada día las diferencias se multiplican en escala geométrica. Cada centro de enseñanza o de investigación que se destruye o se abandona significa decenios de atraso. Cada investigador o profesor que se persigue, encarcela o asesina, son años de experiencia que se esfuman. Los lazos de la dependencia se ajustan más sólidamente donde hay ignorancia y atraso. Los recursos naturales se arrasan y el medio ambiente se degrada irreversiblemente.

En la Tierra, cada día más pequeña, prosperidad ya no significa crecimiento ilimitado porque el ecosistema biósfera tiene una capacidad límite de sostenimiento. La alternativa para los países subdesarrollados no es el crecimiento cero sin embargo, porque eso significaría institucionalizar la riqueza y la miseria. Indira Gandhi ha dicho muy acertadamente que "cuando hablamos de acelerar la industrialización en los países en vías de desarrollo, nuestra intención no es imitar los estándares occidentales o buscar atajos hacia un paraíso de consumidores. Debemos evitar un enfoque hacia los lujos, con su creciente espiral de publicidad y arte y maña de vender, y contra un desperdicio de recursos nacionales para la producción repetitiva de bienes que complacen a los ricos. Tampoco deberíamos tratar de adoptar formas de organización industrial que son completamente ajenas al carácter del pueblo. El desarrollo y la absorsión de tecnologías deben estar a tono con el carácter económico distintivo de la sociedad. De aquí la importancia especial que reviste la repartición productiva de tecnologías entre los países en vías de desarrollo... El proceso de crecimiento industrial no debe sacrificar nuestro futuro ni la necesidad inmediata de un hábitat armonioso para todos los seres vivientes..."[1]

La biósfera, vista con óptica biológica, es un gran ecosistema en el que el hombre es uno de sus componentes naturales. Los hombres estamos enfrentados a la crisis de la biósfera, a la "crisis ecológica", que es una de las tantas manifestaciones de la crisis de la sociedad. La crisis es el producto de un modelo de desarrollo que se ha basado en la despiadada explotación de los recursos naturales y humanos.

La "crisis ecológica" va de la mano con la "crisis energética". Son galimatismos para esconder la verdadera naturaleza de la crisis. Si los pobladores de América Central comen ciervos, monos y culebras no es debido a la crisis ecológica sino a que la sociedad está en crisis. Cuando los habitantes del altiplano boliviano arrasan con los árboles y arbustos para calentar sus míseras viviendas están mostrando otra faceta de la crisis ecológica que es en realidad, una crisis social.

Se puede vaticinar, sin mayores riesgos de equivocación, que "si las *tendencias actuales* continúan en el año 2000 el mundo estará más sobrepoblado, más contaminado, menos estable desde el punto de vista ecológico y más vulnerable a *trastornos*... que en el día de hoy".[2]

[1] Discurso pronunciado por la primer ministro de la India, Indira Gandhi, ante la Tercera Conferencia General de las Naciones Unidas para el Desarrollo Industrial, Nueva Delhi, ONUDI, 1980.

[2] Del *Informe global 2000* elaborado por el Departamento de Estado y el Consejo de Calidad Ambiental de los Estados Unidos

¿Pero cuáles son esas tendencias y esos trastornos?

Entre las primeras se hace evidente la concentración del uso de los energéticos (combustibles, alimentos) en un grupo restringido de países. Como consecuencia el trastorno más acuciante es el reclamo de los países pobres por compartir esa energía, por evitar su despilfarro y por hacer posible una calidad de vida más digna.

El *Informe global 2000* también dice que "para cientos de millones de personas desesperadamente pobres, las perspectivas sobre alimentos y otras necesidades vitales no han de mejorar. De hecho para muchas han de empeorar..." Se aboga por cambios revolucionarios en la tecnología. ¿No ha sido acaso un cambio tecnológico de avanzada la revolución verde? ¿Cuáles fueron sus consecuencias al cabo de más de veinte años de experiencia? El aumento de la producción agrícola fue espectacular pero no significó una sensible mejoría para los países subdesarrollados. A partir de entonces los campesinos debieron trabajar para las compañías multinacionales productoras de abonos, herbicidas, pesticidas y semillas mejoradas. En México, país en el que se gestó la revolución verde, según manifestaciones del presidente de la República el 50% de la población padece alguna forma de desnutrición.[3] Este solo ejemplo demuestra que la solución no es exclusivamente tecnológica porque la crisis es profundamente social.

América Latina y el Caribe se debaten en una lucha titánica por sobrevivir. Sus recursos naturales desquiciados por casi quinientos años de explotación despiadada, sus bosques arrasados, sus campos erosionados, su fauna menguada, su población hambrienta, su niñez condenada a una muerte prematura, sus aguas contaminadas, sus reservas minerales y energéticas al servicio de los poderosos, sus gastos bélicos cada vez más agobiantes... Cuando Josué de Castro decía que el subdesarrollo era la primera causa de contaminación estaba significando que era también la causa de la degradación y despilfarro de los recursos naturales, que era la causa del aumento incontrolable de la población humana, que era la causa del deplorable estado del medio ambiente humano.

América Latina y el Caribe ya no quieren más recetas tecnológicas que mantengan su dependencia. Las naciones de

de América y presentado a la consideración del presidente de la nación, 1980.

[3] Discurso pronunciado por el presidente de México, José López Portillo, al poner en ejecución el Sistema Alimentario Mexicano (SAM), 1980.

la región claman por ser dueñas de sus propios destinos; generar sus propios modelos de desarrollo; generar sus propias ciencia y tecnología al servicio de sus necesidades; tener la posibilidad de generar un hombre nuevo...

¿Se apartan estas y otras reflexiones de un marco estrictamente ecológico? Ciertamente no. La ecología moderna no es ecología a menos que pueda proporcionar una concepción integral de los seres vivos, del hombre y del medio ambiente físico y cultural.

BIBLIOGRAFÍA SELECCIONADA
(véase también cuadro I)

Acot, P., *Introducción a la ecología*, México, Nueva Imagen, 1978.

Brouillette, B., *et al.*, *Geografía de América Latina. Métodos y temas monográficos*, París, Ediciones de la UNESCO, y Ed. Teide, Barcelona, 1975.

Caldwell, M., *et al.*, *Socialismo y medio ambiente*, Barcelona, Gustavo Gili, 1976.

Chanlett, E. T., *La protección del medio ambiente*, Madrid, Ediciones del Instituto de Administración Local, 1975.

De Castro, J., *Geopolítica del hambre*, Madrid, Guadarrama, 1976.

Deutsch, K. W. (editor), *Eco-social systems and eco-politics. A reader on human and social implications of environmental management in developing countries*, París, Ediciones de la UNESCO, 1977.

Ehrlich, P. R. y A. H. Ehrlich, *Población. Recursos. Medio ambiente. Aspectos de ecología humana*, Barcelona, Omega, 1977.

Ehrlich, P. R., *et al.*, *El Hombre y la ecosfera*, Scientific American, Madrid-Barcelona, Blume, 1975.

Enzensberger, H. M., *Para una crítica de la ecología política*, Barcelona, Anagrama (Cuadernos), 1973.

Furtado, C., *et al.*, *El Club de Roma. Anatomía de un grupo de presión*, México, Síntesis, 1976.

Galeano, E., *Las venas abiertas de América Latina*, México, Siglo XXI, 1979.

George, S., *Cómo muere la otra mitad del mundo. Las verdaderas razones del hambre*, México, Siglo XXI, 1980.

Goldberg, E. D., *La salud de los océanos*, París, Ediciones de la UNESCO, 1979.

Guerásimov, I., *et al.* (compiladores), *El hombre, la sociedad y el medio ambiente. Aspectos geográficos del aprovechamiento de los recursos naturales y de la conservación del medio ambiente*, Moscú, Progreso, 1976.

Henry, P. M., *et al.*, *El Mediterráneo: un microcosmos amenazado*, Barcelona, Blume (Ambio), 1979.

Maldonado, T., *Ambiente humano e ideología. Notas para una ecología crítica*, Buenos Aires, Nueva Visión, 1972.

Margalef, R., *Ecología*, Barcelona, Omega, 1974.

M'Bow, A. M., *et al.*, *¿Qué mundo vamos a dejar a nuestros hijos?*, París, Ediciones de la UNESCO, 1978.

Odum, E. P., *Ecología*, México, Interamericana, 1972.

Odum, H. T., *Ambiente, energía y sociedad*, Barcelona, Blume (Ambio), 1980.

Olivier, S. R., *Elementos de ecología*, Buenos Aires, Hemisferio Sur, 1975.

Phillipson, J., *Ecología energética*, Barcelona, Omega, 1975.

Piel, G., *et al.* (recopiladores), *La biósfera*, Scientific American, Madrid, Alianza Editorial, 1979.

Piel, G., *et al.* (recopiladores), *La energía*, Scientific American, Madrid, Alianza Editorial, 1979.

Ribeiro, D., *Las Américas y la civilización*, México, Extemporáneos, 1977.

Scorer, R. S., *El idiota espabilado. Lo verdadero y lo falso en la catástrofe ecológica*, Barcelona, Blume (Ambio), 1980.

Sutton, B. y P. Harmon, *Fundamentos de ecología*, México, Limusa, 1979.

Szekely, F. (compilador), *El medio ambiente en México y América Latina*, México, Nueva Imagen, 1978.

Tamames, R., *Ecología y desarrollo. La polémica sobre los límites del crecimiento*, Madrid, Alianza Editorial, 1977.

UNESCO, *Biología de las poblaciones humanas. América Latina y el Caribe*, París, Ediciones de la UNESCO, 1977.

UNESCO, *Ideas para la acción. La* UNESCO *frente a los problemas de hoy y al reto del mañana*, París, Ediciones de la UNESCO, 1977.

Urquidi, V. L. y J. B. Morelos (compiladores), *Población y desarrollo en América Latina*, México, Ediciones de El Colegio de México, 1979.

Ward, B. y R. Dubos, *Una sola Tierra*, México, Fondo de Cultura Económica, 1977.

impreso en editorial romont, s.a.
presidentes 142 - col. portales
del. benito juárez - 03300 méxico, d.f.
un mil ejemplares y sobrantes
19 de febrero de 1988

ECOLOGÍA Y AUTOSUFICIENCIA ALIMENTARIA

VÍCTOR MANUEL TOLEDO
JULIA CARABIAS
CRISTINA MAPES
CARLOS TOLEDO

Dotado de una de las floras más ricas del mundo con casi 25 000 especies de plantas, una fauna igualmente diversificada, 500 especies de peces, más de 35 unidades medioambientales y una tradición cultural que se remonta a las grandes civilizaciones de la antigua Mesoamérica, México posee todas las condiciones para encontrar múltiples caminos que le permitan alcanzar una permanente autosuficiencia alimentaria. ¿Cómo diseñar entonces una política de producción de alimentos que sea capaz de aprovechar este enorme potencial alimentario de los ecosistemas?

La presente investigación tuvo dos objetivos centrales: por un lado, mostrar cómo las políticas y estrategias de producción de alimentos seguidas hasta ahora en México se han basado en un modelo tecnológico ecológicamente ineficiente, que tiende a especializar a productores, regiones y al país entero, y a reducir la generación de alimentos a no más de una veintena de productos (vegetales y animales, terrestres y acuáticos); por otro lado, sugerir una nueva estrategia productiva dirigida a fomentar la diversidad alimentaria, a partir del análisis minucioso de los ecosistemas del país y de los conocimientos de sus culturas rurales, y finalmente el estudio hace énfasis en la necesidad de realizar un cambio radical en la estrategia productiva alimentaria, sin el cual será difícil ofrecer los alimentos requeridos por una población nacional que se estima alcanzará entre 100 y 130 millones de habitantes para el año 2000.

Premio Nacional Serfin
sobre el Medio Ambiente 1984

FUTURO GLOBAL. TIEMPO DE ACTUAR

Consejo de la Calidad Ambiental
y el Departamento de Estado
de los Estados Unidos

El informe *Global 2000* (traducido en España como *El mundo en el año 2000*) fue encargado por el presidente Carter para establecer la previsible evolución de la población, los recursos naturales y el medio ambiente hasta el fin de este siglo. El informe y sus pesimistas predicciones han tenido amplísima repercusión, y dicha obra ha llegado a convertirse en una especie de biblia del ambientalismo. En cambio, muy pocas personas han tenido oportunidad de leer la segunda parte del informe, *Futuro global* en la que los mismos investigadores que llevaron a término el primer proyecto desarrollaron, también a petición del presidente Carter, una serie de recomendaciones de política práctica acordes con las predicciones y diagnósticos contenidos en la primera parte del informe. *Futuro global*, que debería haber sido publicado ya bajo la presidencia de Reagan, no fue difundido por el gobierno norteamericano, que disolvió el grupo de investigadores y mostró decidida voluntad de obstaculizar el conocimiento de su contenido. El carácter público de los derechos de *Futuro global*, sin embargo, permite su libre traducción y publicación, gracias a lo cual es posible ahora hacer asequible a la opinión pública interesada en los problemas de la conservación del medio y el futuro de la vida en nuestro planeta el contenido, polémico y vital, de esta segunda parte del informe *Global 2000*.

COMER ES PRIMERO. MÁS ALLÁ DEL MITO DE LA ESCASEZ

FRANCES MOORE LAPPÉ
JOSEPH COLLINS

La solución al problema del hambre en el mundo no es ningún misterio. No se encuentra encerrada en el plasma germinal de una semilla, a la espera de ser descubierta por un joven y brillante científico agrícola. No se encuentra deletreada en los estudios econométricos de los planificadores del desarrollo. No. El verdadero obstáculo a la solución del hambre es la sensación de impotencia que se nos inculca.

Mediante una minuciosa investigación, los autores demuestran que la escasez, la culpa y el miedo en torno al hambre —tan repetidos por los medios de comunicación— se basan en mitos. No hay un solo país en el planeta que carezca de amplios recursos para la producción de alimentos; lo que hay son desigualdades en el control de estos recursos que afectan la producción y la justa distribución de alimentos. La "ayuda" alimentaria no es la solución al hambre; la solución es redistribuir el control de los recursos para producir alimentos. Los hambrientos no son una amenaza para el resto de la humanidad; todos somos víctimas del sistema económico que limita la seguridad alimentaria de unos y otros.

Es necesario, por lo tanto, desencadenar un movimiento que ponga al descubierto la verdad: un mismo sistema, apoyado por los gobiernos, las corporaciones y las élites terratenientes, socava la seguridad alimentaria en todo el globo. Además, el injusto monopolio sobre la tierra que ejercen tanto las élites tradicionales como las grandes corporaciones de la agroindustria demuestra que ellos son, precisamente, los agentes más ineficientes, poco confiables y destructivos en el empleo de los recursos para producir alimentos. El único camino que lleva a la productividad agrícola a largo plazo es la democratización del control de los recursos para producir alimentos.

Los autores forman parte del equipo del Institute for Food and Development Policy. Frances Moore Lappé es autora de *Diet for a small planet;* Joseph Collins colaboró en el libro *Global reach: the power of the multinational corporations* y es coautor de *World hunger: causes and remedies.*

EL SUBDESARROLLO LATINOAMERICANO Y LA TEORÍA DEL DESARROLLO

OSVALDO SUNKEL / PEDRO PAZ

Las políticas de desarrollo económico impulsadas en Latinoamérica durante las últimas décadas no han dado los resultados esperados. El estrangulamiento externo, los desequilibrios inflacionarios, el atraso agrícola, la existencia de vastos grupos sociales desempleados y marginados y la tendencia al estancamiento siguen presentes en la mayoría de nuestros países. Han surgido además recientemente nuevas formas de dependencia que parecen contribuir a agravar los fenómenos señalados y configuran perspectivas desalentadoras de endeudamiento externo, marginación y desempleo crecientes.

Estos fenómenos y tendencias se atribuyen a menudo a políticas de desarrollo poco vigorosas y persistentes y carentes de una cooperación internacional adecuada. En este libro se considera más bien que dichas características constituyen consecuencias inherentes al proceso socioeconómico propio de un sistema subdesarrollado y dependiente. En cuanto a la precariedad de los resultados de la política económica, se deriva de que por lo general ésta procura adaptar el sistema para hacerlo tolerable, antes que provocar una transformación de sus estructuras básicas.

Para caracterizar tal sistema, se hace un examen crítico de los conceptos de desarrollo y subdesarrollo, concluyéndose que el subdesarrollo no es un "momento" ni una "etapa" en la evolución de una sociedad aislada y autónoma, sino parte del proceso histórico global de desarrollo del capitalismo. Es decir, desarrollo y subdesarrollo son estructuras parciales pero interdependientes que conforman un sistema único, en el cual la estructura desarrollada (centro) es dominante y la subdesarrollada (periferia) dependiente.

LOS POBRES DE LA CIUDAD EN LOS ASENTAMIENTOS ESPONTÁNEOS

JORGE MONTAÑO

Hasta fechas recientes, el tratamiento del fenómeno urbano se limitó a resolver aquellos problemas inmediatos que constituían fuentes de descontento en los estratos privilegiados de la sociedad. Sistemáticamente se soslayó a los pobres de la ciudad, quienes se concretaban a protestar contra el sistema desigual dominante cambiando su miseria rural sin esperanza por un amplio panorama de expectativas que a la postre resulta contener más limitaciones. Recientemente, sin embargo, han empezado a reconocer sus potencialidades de oposición, unas veces en forma desarticulada y en otras con cierta organización a fin de obtener un mínimo de satisfactores.

La presente investigación está dedicada a determinar a grandes rasgos los mecanismos y el tipo de relación que ha establecido el aparato gubernamental y político con los pobres de la ciudad, así como a explicar las actitudes políticas de éstos. El análisis a través del trabajo de campo permitió comprender los cambios y variaciones que ha sufrido la interrelación desde sus inicios y se ha puesto especial interés en los escasos momentos en que reciben la atención del aparato gubernamental (las largas campañas electorales, por ejemplo, que una vez concluidas dan paso a una situación real de abandono). Hay que pensar que los pobres de la ciudad participan activamente en el desequilibrado proceso social, político y económico, aunque su actividad cotidiana representa una forma diferente de actuación, de la cual se desprenden nuevos términos de incorporación.

Jorge Montaño realizó estudios de licenciatura en las facultades de Ciencias Políticas y Sociales y en la de Derecho de la UNAM, así como de maestría y doctorado en Sociología Política en la Universidad de Londres. Actualmente es profesor por oposición de la Facultad de Ciencias Políticas (UNAM) y jefe del Departamento de Sociología de la Unidad Azcapotzalco de la Universidad Autónoma Metropolitana. Ha publicado *Partidos y política en América Latina*, UNAM, así como artículos en diversas revistas especializadas.

EL DESARROLLO Y LA POBLACIÓN EN AMÉRICA LATINA

RAÚL URZÚA

El Programa de Investigaciones Sociales sobre Población en América Latina (PISPAL) ha hecho posible la publicación del trabajo de Raúl Urzúa, cuyos objetivos consisten en revisar las investigaciones existentes en América Latina y el Caribe acerca de las relaciones entre población y desarrollo que sean adecuadas para la formulación, implementación y evaluación de políticas de población integradas a los planes de desarrollo, señalar los vacíos existentes en el conocimiento y sugerir formas de orientar la investigación futura con el fin de llenar esos vacíos.

Durante la década de los años sesenta se inició un proceso de toma de conciencia acerca de las altas tasas de crecimiento poblacional en los países subdesarrollados. Tanto los expertos como los gobiernos iniciaron una serie de estudios tendientes a demostrar la necesidad de llevar a cabo programas de control de la natalidad que garantizaran el bienestar de las familias, el desarrollo socioeconómico de los países y la paz mundial. Esta posición neomalthusiana fue rechazada por las élites intelectuales y políticas de los países en desarrollo con el argumento de que, de acuerdo con la evidencia histórica, el crecimiento de la población es muchas veces ventajoso, ya que sus efectos negativos son en realidad consecuencia de inadecuadas estructuras sociales y del intercambio desigual que priva en la economía mundial, además de que el desarrollo produce por sí mismo modificaciones en el comportamiento reproductivo de la población que hacen disminuir la fecundidad.

Con este marco de referencia se iniciaron los trabajos de la Conferencia Mundial de Población en 1974 el Plan de Acción Mundial de Población. Para poder instrumentar este Plan en las distintas regiones del mundo era indispensable saber si se contaba con un conocimiento suficiente tanto de las relaciones entre las características y la dinámica demográfica como del desarrollo socioeconómico. Dentro de esta preocupación se inscribe el estudio llevado a cabo por Raúl Urzúa, coordinador de investigación en el Área de Población y Desarrollo del Centro Latinoamericano de Demografía de la CEPAL.